어머니 꽃구경 가요

사랑하는 부모님 영전에 이 글을 바칩니다.

어머니
꽃구경 가요

초판 1쇄 인쇄 2017년 3월 21일
초판 2쇄 발행 2018년 4월 15일

지은이 문이령
펴낸이 강정규
펴낸곳 시와 동화

등록번호 제2014-000004호
등록일자 2012년 6월 21일

주소 경기도 부천시 소사구 성주로 86-4, 104동 402호(송내동, 현대아파트)
전화 032-668-8521
이메일 kangjk41@hanmail.net

ISBN 978-89-98378-20-2 43810

어머니 꽃구경 가요

문이령 글

시와 동화

차 례

프롤로그

나에겐 할머니가 두 분 계시다.

한 분은 땅끝 마을에 사시는 외할머니고, 다른 한 분은 부천 성주산 아래 사시는 친할머니시다. 나는 친할머니를 짱구 할머니라고 부른다. 친할머니네는 자기가 사람인 줄 아는 코카스파니엘 짱구가 있다.

짱구는 아빠가 결혼하기 전부터 살던 강아지다.

나는 어릴 때부터 할머니 댁에 자주 갔다.

할아버지와 할머니가 보고 싶어 하시기 때문이다.

할아버지는 동화작가신데 내가 태어나면서 시도 쓰게 되셨다고 한다.

할머니도 동화를 쓰시는데 글 쓰는 할아버지와 오래 살다 보니 그렇게 되셨다고 한다.

"할머니네는 왜 이렇게 책이 많아?"

내가 엄마한테 물어봤다.

"할아버지, 할머니 공부방이야."

엄마가 알려 주셨다.

할머니 집에는 도서관처럼 책이 많다. 안방에도 사방으로 책이 천장까지 쌓여 있고, 거실장도 두꺼운 책이 가득 쌓여 있다. 심지어 신발장 위에도 책들이 꽂혀 있다.

내가 유치원 가면서 새로 이사한 집 거실은 할머니네처럼 책장을 들여 놓고 책들을 꽂아 놓았다. 그 책들 중에는 할머니가 주신 책도 많다.

나는 여섯 살부터 책을 혼자서 읽게 되었다.

내 동생 지우는 따라쟁이다. 글씨도 모르면서 내가 읽는 책을 저도 읽겠다고 빼앗아 간다. 그래서, 지우 때문에 속상해서 운 적도 많다.

"연우야, 동생이 아직 몰라서 그런 거니까 네가 양보해라. 할미가 우리 연우 제일 예뻐하는 거 알지?"

할머니가 눈물이 그렁거리는 나를 안고 속삭이셨다. 나는 기분이 좋아져서 눈을 쌈박거렸다.

아빠는 내가 자라는 모습을 할머니께 늘 사진으로 보내 드렸다. 그리고 주말에는 직접 보여 드린다고 데리고 가시곤 했다.

때마다 할머니는 집밥이 최고라며 아빠가 어릴 때부터 좋아했다는 동그랑땡을 만들어 주셨다. 밥을 먹고 나선 꼭 동화책을 읽어 주셨다. 동화책뿐 아니라 숫자 세는 것도 알려 주셨다.

할머니 댁 거실장에는 언제나 하얀 도자기 항아리에 동전이 가득 들어 있었다.

"연우, 우리 숫자 세기 할까?"

"……?"

"지난번에 셌던 거 안 잊어버렸을까? 할머니 동전 많이 모았는데."

나는 동전이라는 말에 귀가 솔깃해졌다. 그런데 사실은 한 번도 하나 둘 세는 걸 연습하지 않아 자신은 없었다.

"연우야, 그럼 연습부터 한 번 해보자."

1, 2, 3……. 숫자는 쉬운데, 그래서 백까지 쓰고 셀 수도 있는데 하나 둘로 세기는 서른에서 헷갈렸다. 열, 스물, 서른, 마흔……, 백까지 복습을 했다. 할머니는 얼른 지난 달력

뒷장을 뜯으시더니 열, 스물, 서른……, 하고 한글로 써 주셨다. 할머니는 생각이 잘 안 나면 보고 하라고 하셨다.

하나 둘 셋……. 내가 숫자를 셀 때마다 할머니도 하나 둘 하시면서 내 손에 동전을 놓으셨다.

나는 때마다 백 개의 동전을 받고 기분이 좋았다. 유치원 저축의 날에 그 돈을 가지고 가서 저금을 했다.

그 덕분에 나는 유치원 아이들 중에 제일 먼저 백까지 셀 수도 있었다.

책을 읽다 보니 글도 쓸 줄 알게 되었다. 어렸을 때는 그림을 그렸지만 할머니께 편지도 썼다.

할머니는 내가 그려 드린 그림과 편지를 거실에다 붙여 놓으셨다. 거실장엔 아기 때 사진들이 죽 놓여 있고 벽에는 내 그림과 편지글을 붙여 놓으셨다.

"내 어릴 때 사진이다!"

한 번은 내가 큰 소리로 말했더니 할머니가 웃으셨다.

지금도 어리다 이 녀석아, 하는 눈으로 나를 바라보셨다.

할머니는 늘 바쁘게 사셨다.

할아버지도 챙기시고 할아버지가 된 짱구도 돌봤다. 그리고 오후엔 지역 아동 센터에 나가서서 독서 지도를 하셨다.

할아버지와 짱구까지 하늘나라로 간 후, 할머니는 한 달에 하루씩 봉사하러 다니시던 요양원으로 아주 살러 가셨다.

"애비야, 여기 있는 책이랑 물건들 네가 알아서 관리해라."

사시던 집은 아빠에게 부탁을 하셨다. 그래서 아빠와 나는 주말이면 할머니 댁에 온다.

안방도 거실도 있던 그대로인데 할머니만 안 계시다.

집이 참 넓어 보이고 쓸쓸하다.

나는 오늘도 할머니가 쓰시던 책상(원래는 아빠가 학교 다닐 때 쓰던)에 앉아 동화책을 읽었다.

책상 위에는 할머니가 집에 계실 때 나에게 읽어 주시던 책들이 나란히 꽂혀 있다.

『언제까지나 너를 사랑해』, 『우리 할아버지』, 『달팽이의 꿈』, 『아낌없이 주는 나무』, 『피노키오』 등등.

"연우야, 할머니가 제일 사랑하는 거 알지?"

할머니가 나에게 귀에 말을 하는 것 같아 고개를 끄덕거렸다.

갑자기 할머니께 편지를 쓰고 싶었다. 그런데 연필이 보이지 않았다.

"남의 물건은 만지는 게 아니다."

엄마 말씀이 생각났다.

'할머니가 남인가 우리 할머닌데.'

나는 할머니 책상 서랍을 가만히 열었다.

서랍마다 할머니가 쓰시던 물건들이 정리되어 있었다.

아끼다 한 번도 안 쓰신 선물 받은 만년필, 할아버지가 뒤늦게 해주신 결혼 반지, 내가 보낸 카드, 아빠가 어릴 때 그린 그림, 아빠가 학교 다닐 때 일등한 성적표, 아빠 아기 때 찍어놓은 발도장…….

'그런데 이게 뭐지?'

맨 아래 서랍엔 손글씨로 된 원고 뭉치가…….

다음은 할머니가 남기신 원고다.

눈이 많이 내리던 날

엄마는 2년 동안 있던 요양원을 옮기셨다.

지난 가을 다섯째 오빠 회갑 잔치 참석차 내려갔다가 요양원에 들러 엄마를 보고 오늘에서야 여동생에게 전화를 했다.

"오늘 뭐하냐? 별일 없으면 엄마한테 다녀올래?

동생은 그러자고 했다.

"오후 2시에 중앙역에서 만나자."

여동생과 약속을 하고 남동생에게 전화를 걸었다.

"오늘 꽃님이랑 엄마한테 가기로 했는데 시간 되면 너도 얼굴 보자."

남동생은 바빠서 못 온다고 했다.

나는 전화기를 들고 잠시 망설이다 도로 내려놓았다.

내가 마음 편히 전화를 걸 수 있는 사람은 동생 둘뿐이다.

오빠들이 다섯이나 있지만 전화를 걸어 이러고저러고 하는 것은 예의가 아닌 듯해서다. 더더욱 올케들에게 전화를 건 적은 한 번도 없다. 자칫하면 시누이 노릇을 한다거나 아니면 친정 일에 나서면 '너나 잘하세요.' 라는 말이나 듣기 십상이기 때문이다. 그냥 내가 할 수 있는 만큼 하고 입을 다물고 지내왔기 때문에 친정 형제들과는 살갑게도 못 지내지만 불편하게도 안 지내고 있다.

그런데 왠지 남동생한테는 좀 서운한 생각이 들었다.

막내인 남동생은 형제 중에 유일하게 대학원을 나왔다. 아버지가 땅 팔아서 학비를 대준 자식은 막내아들뿐이다.

막내는 다른 형제들과 달리 피부도 까무잡잡하고 머리통이 툭 튀어나온 짱구였다. 그래서 작은집 누나가 형제 중 제일 못났다고 못난이라고 별명을 지어 주었다. 그때부터 동네 사람들은 이름을 부르지 않고 '못난아! 못난아!' 하면서 별명을 불렀다. 나중엔 식구들까지도 못난이라 불렀다.

바쁜 농사철엔 잘 돌봐주지 못해 침이 배꼽을 타고 내려와 고추 끝에서 똑똑 떨어져 내렸다. 어떤 날은 마당에서 궁둥이를 하늘로 치켜들고 잠이 들기도 했다. 잠든 아이 궁둥이를 똥개 말복이가 핥아 먹기도 했다. 말복이와 친구처럼 뒹

굴며 자라났다.

형수 치마꼬리를 붙잡고 '쌀밥 주세요! 쌀밥 주세요!' 하며 쌀밥 타령을 하더니 어느새 청년이 되었다.

이웃 마을에 작은 교회가 하나 생기면서 주일은 물론 비가 오나 눈이 오나 새벽 기도를 나갔다. 그러더니 신학교에 가서 신학 공부를 하고 싶다고 했다. 아버지는 아들의 뜻을 꺾을 수 없어 논 서너 마지기를 팔아 대학 등록금을 대주었다. 아들은 소원대로 목사가 되었다. 예수님도 고향 마을에선 대접을 못 받았다고 하는데 고향 마을 가까운 성황당 고개 너머에 개척 교회를 시작했다.

엄마는 물론 아버지도 여든이 다 되어 아들이 하는 개척 교회를 나갔다. 자리 하나 채워 주는 마음으로 교회를 다니기 시작했다. 성경도 읽을 줄 모르고 찬송가도 잘 못 부르지만 주일마다 농사 지은 푸성귀를 싸들고 교회를 나가셨다.

막내는 그것도 모자라 부모님이 사시는 집을 달라고 졸랐다. 형들은 다 재산을 물려받았는데 자기만 없다며 우는 소리를 해댔다. 거기다 목회자가 부모님을 모셔야 말발이 선다며 부모님은 자기가 모시겠다고 호언장담을 했다. 그러더니 정작 엄마가 거동을 못하게 되자 평소 보아 둔 요양원으로 모서 갔다.

　전화기를 내려놓고 나서 요양원에 갈 채비를 했다.
　우선 나의 첫 창작동화 작품집『복순이네 꼬꼬』를 넣었다.
엄마는 평생 책을 읽으신 적도 글을 쓰는 것도 본 적이 없으
니 아마 까막눈이라고 해야 할 것 같다. 그래도 나를 낳아 주
신 분이니까 보여 드리기라도 해야 할 것 같았다. 영양제도
넣었다. 요양원에서 수고하시는 분들에게 드릴 복분자 주스
도 넣었다. 가끔 남편 제자들이 영양제나 건강 식품을 선물
해 오면 늘 부모님을 챙겨 드리곤 했다. 그리고 뭐가 필요한
가 생각해 보았지만 잘 모르겠어서 우선 가 보자고 나섰다.
　집을 나서는데 눈발이 날리기 시작했다. 3년 동안 동네 아
줌마들과 친목계로 남편 몰래 장만한 모피 재킷이 눈을 맞으
면 안 될 것 같았다. 거기다 남편이 주례 서주고 받은 선물,
신혼여행 가서 프랑스 파리에서 사 왔다는 순모 베레모도 신
경이 쓰였다. 하늘을 올려다보니 잔뜩 흐려 있었다.
　눈이 많이 내릴 것 같았다.
　'집으로 돌아가 편안한 옷으로 갈아입을까?'
　잠시 망설이다가 부천역으로 가는 버스를 탔다. 엄마는 일

을 하느라고 좋은 옷이 있어도 장롱에 모셔 두고 평생 후줄 근하게 입고 살았다. 그래도 자식들이 올 때는 예쁘게 차려 입고 오는 것을 좋아하셨기 때문이다.

부천역에서 지하철을 타고 구로에서 환승을 하고 금정에 서 다시 안산행으로 갈아타고 중앙역에서 내렸다. 10여 분 을 기다리니 여동생이 오리털 파카에 털모자를 쓰고 나타났 다. 함께 역을 빠져 나오니 택시가 줄을 서 있다.

"네오빌 6단지 하모니 마트 앞에 데려다주세요. 그 근처 요 양원 가거든요."

"요즘 요양원이 많이 생겨서요. 그냥 요양원 가자고 하면 잘 몰라요. 손님처럼 큰 건물을 대 주시면 좋지요."

운전 기사가 묻지도 않는 말을 했다.

"어머님이 거기 계셔서 뵈러가요."

"요즘은 거의 요양원에다 모셔요. 흉도 아니에요."

"그러게요, 요즘은 다들 일을 하니까 어쩔 수 없어요."

기사 아저씨 옆자리에 앉아 이런저런 이야기를 하다 보니 하모니 마트 앞이었다. 마트 옆 건물 6층 유리문에 '사랑의 요양원'이라 쓴 글씨가 보였다. 1층에서 승강기 타고 6층에 서 내렸다. 문앞에도 '사랑의 요양원' 간판이 붙어 있었다.

벨을 누르자 자동으로 문이 열렸다.

"이학금 할머니 뵈러 왔는데요."

꼽추 아저씨가 나와 엄마가 계신 방을 안내해 주었다.

엄마는 창밖을 멍하니 바라보고 있었다.

"엄마! 저희 왔어요."

"아이고 왔구나! 바쁜데 어떻게 왔어?"

엄마는 두 손을 흔들며 반가워 하셨다.

"잘 계신가 뵈러 왔지요. 엄마, 왜 이런 옷을 입고 계세요?"

백발머리는 까치집처럼 엉켰고 옷은 감색 남자 잠바를 입고 있었다.

"추워서 얻어 입었다."

"지난번에 벗어 드리고 간 분홍 재킷은 면이라 좋은 건데. 그리고 내피 조끼, 무릎 담요 다 어디 가고 남의 옷을 입고 있어요?"

나도 모르게 언성이 높아졌다.

요양원에 계신 것도 마음 아픈데 옷까지 추레하니 나도 모르게 화가 났다.

"이불도 여름 이불이잖아. 이불도 없어? 다 어디 간 거야. 찾아봐라."

동생은 엄마 이름표가 붙은 서랍장을 열었다. 그 안에는 후줄그레한 얇은 옷 몇 가지가 아무렇게나 흩어져 있었다. 혹시나 싶어 옆에 있는 서랍장을 열어 보려 하자,

"여긴 내 거야!"

수전증으로 으흐응으흐응거리며 떨고 다니는 합정동에서 오셨다는 할머니가 단박에 막아 섰다.

"아니, 지난번 왔을 때 입고 온 옷도 벗어 드리고 갔는데 어디로 다 간 거야. 인사동 나갔다가 큰 맘 먹고 산 건데."

나는 남동생에게 전화를 했다.

"엄마 옷이 왜 없어? 거지처럼 남자 잠바를 얻어 입고 있어. 어떻게 된 거야?"

"누나, 엄마 비위는 아무도 못 맞춰, 그냥 놀다 가. 그리고 엄마 옷은 거기서 챙겨 주지 내가 어떻게 알아!"

남동생은 상관하지 말고 놀다나 가라고 했다.

"내 꼴이 이게 뭐니? 저 양반은 딱 맞는 옷 입고 있지 않아?"

엄마는 같은 방에서 침대를 쓰고 있는 할머니를 가리키셨다. 그 할머니는 분홍 아울렛 조끼를 입고 계셨다.

'저렇게 젊으신 분이 왜 요양원에 계시지?'

나는 내심 궁금했다. 그러나 물어볼 수는 없었다.

"엄마는 체형이 이상해서 옷이 잘 안 맞아."

여동생이 말했다.

"그래도 이건 아니지. 남이 안 입는 옷, 그것도 남자 옷을 얻어 입는 건 아니지!"

밖에 있던 요양사 아줌마가 방으로 들어왔다.

"어르신이 이불을 두꺼운 거 드리면 무겁다고 하시고 얇은 거 드리면 춥다고 하세요. 지난번 막내아드님이 가져온 거 무겁다고 하세요."

아줌마는 커다란 검정 비닐봉지를 들고 왔다. 그 안엔 빨강 밍크 담요가 들어 있었다.

"아니, 이건 옛날 담요잖아? 요즘 누가 이런 걸 덮어?"

여동생이 어처구니 없다는 듯 말했다.

"우리 집에 라푸마 내피 두 개 있는데…….."

"그거 좋은 거야. 얼마나 폭닥한데. 노인네를 이렇게 놔 두면 어떻게 해? 입성이라도 깨끗해야지."

저녁 시간이 다가오고 있었다.

"엄마 또 올게요. 내일이라도 겨울옷이랑 따뜻한 이불 갖다 드릴게요."

나는 어린 아기를 두고 집을 나서는 엄마처럼 발걸음이 쉽게 떨어지지 않았다.

승강기를 타고 내려온 나는 하모니 마트 앞에 섰다. 그대로 발길을 돌릴 수가 없었다. 엄마한테도, 거기서 일하는 사람들에게도 염치가 없었다. 사과를 한 박스 배달시켰다. 그리고 전화 거는 것도 미안해 동생에게 전화기를 내밀었다.

"엄마를 잘 부탁한다고 네가 말 좀 해라."

"언니가 할머니들 드시라고 사과를 한 박스 샀어요. 조금 후에 배달 갈 거예요. 저희 어머니 잘 부탁드려요."

전화기를 받아 든 동생도 자신 없는 소리로 말했다.

올 때는 택시를 타고 왔던 길을 천천히 걸었다. 앵클부츠를 신은 발이 자꾸 미끄러웠다. 모피 재킷에도 베레모에도 눈이 쌓여 가고 있었다. 나는 앞서 걷고 동생은 뒤따라 걸었다. 말없이 걷는 사이 중앙역에 도착했다. 눈이 많이 내려서인지 전철 안은 유난히 사람들로 붐볐다. 안산역에서 내려 61번 버스로 환승했다. 많은 생각들이 머릿속을 어지럽히고 있었다. 머릿속이 뒤엉킨 것 같았다. 동생은 시흥 시청 앞에서 내려 집으로 돌아갔다. 눈은 계속 내렸다. 버스가 여우 고

개를 넘다가 한참을 서 있었다. 나는 눈 오는 창밖을 하염없
이 바라보고 있었다.

요양원에서 열린 노래방

매월 두 번째 주일마다 요양원을 방문한다.

그렇게라도 하지 않으면 시간 내기가 쉽지 않았다.

'살아 계실 때 한 번이라도 찾아가야지 돌아가신 후 제사상 차려 놓으면 와서 잡수시나?'

평소 생각은 그리하면서 아동 복지 교사로 매일 지역 아동 센터에 나가야 하므로 엄마를 자주 찾아뵙는 건 그리 쉬운 일이 아니었다. 그래서 매월 둘째 주는 교회도 못 갔다.

나는 서울 불광동에 있는 산울 교회를 나가고 있었다. 오고 가는데 서너 시간 걸리는 먼 거리다. 건물이 없는 길 위의 교회라 이리저리 옮겨다니다 보니 얼마 전부터 그렇게 되었다.

교회 대신 양로원으로 가서 엄마뿐 아니라 요양원에 계신 할머니들과 함께 놀다 왔다. 그렇게 하는 일이 하느님도 기뻐하시고 엄마에게도 좋은 일이라고 생각했다. 작은 소자에게 한 것이 나에게 한 것이라는 예수님 말씀도 있지 않던가. 그리고 내가 다른 할머니에게 잘해 드리면 다른 사람들도 엄마에게 잘해 주지 않겠는가, 하는 마음도 들었기 때문이다.

이번 주는 친정 마을에 사는 다섯째오빠와 동행을 했다.
오빠들 중 가끔 안부전화를 하는 오빠는 다섯째오빠뿐이다. 나보다 두 살 위인 오빠는 법 없이도 살 사람이라는 말을 들으며 부모님과 한마을에 살면서 동네 궂은일과 집안일도 도맡아 했다. 엄마는 형제 중에 제일 못사는 아들이라고 마음 아파하셨지만 늘 사람 좋게 웃으며 살아가고 있다.
어릴 때는 형제 중에 제일 잘생겼다고 이름도 서기다. 그 당시 면서기라면 시골에선 출세를 한 셈이라고 그렇게 지었단다. 초등학교 시절엔 '아주 공갈 염소똥 1원에 12개, 2원에 24개……' 이상한 노래를 불러젖히며 마을을 뛰어다녔다. 마을 공동 우물가에 나가 여자아이들과도 놀았다.

영자는 머리를 일주일에 한 번 감는다네.
발은 오일에 한번 씻고 여자가……,

집에 와선 혼자 킥킥대며 웃기도 했다. 중학교를 졸업하고 공장에 취직을 하여 영등포 사는 오빠네집으로 짐을 싸 들고 들어갔다. 들리는 말에 의하면 머리 큰 시동생하고 형수가 한 방 쓰기가 어려워 장롱으로 칸막이를 하고 장롱 뒤에서 잠을 자며 방직 공장에 다닌다고 했다. 명절 땐 부모님 내복이랑 동생들 학용품도 사 가지고 고향집에 오기도 했다. 얼마 후엔 공장을 그만두고 택시 기사를 하겠다고 운전 연습 겸 삼만 원을 주고 빌린 택시를 몰고 고향집에 왔었다. 좋아하실 줄 알았던 부모님은 위험해서 안 된다며 펄펄 뛰시는 바람에 꿈을 접었다.

요즘은 아버지가 물려주신 밭 한 뙈기에 고추, 토마토, 배추를 심어 팔기도 하고 토담집 뒤꼍에 토종개를 키워 우산이 산장 식당에 보신탕용으로 팔아 근근이 살아가고 있다. 하나밖에 없는 딸을 서해안 고속도로 공사 때 판 웅덩이에 빠져 피어나지도 못한 꽃봉오리를 하늘로 보내고 가슴에 묻고 산다. 그래도 그냥 속없는 사람처럼 허허거리며 틈틈이 책을 읽으며 자족하며 살아가고 있는 오빠다.

중앙역으로 차를 가지고 나온 오빠는 요양원 길을 잘 모른다며 전화를 했다. 그래서인지 요양원에 도착하니 엄마는 세수도 깔끔하게 하고 폭닥한 쑥색 라푸마 조끼를 입고 휠체어에 앉아 계셨다.

"저 이학금 할머니 딸인데요."

나는 빨강 순모 코트에 검은 베레모를 쓰고 안으로 들어섰다. 오빠는 베지밀 박스를 들고 뒤따라 들어왔다.

"누구게요?"

나는 엄마 앞에 서서 장난기 어린 목소리로 물었다.

"응, 딸이야."

엄마가 웃으며 대답하셨다.

"이거 할머니들 드시라고요."

집에서 준비해 간 음식 보따리와 오빠가 산 베지밀을 요양사 아줌마에게 드렸다.

"지난번에 복분자 주스도 주시고 사과도 보내 주셨는데……."

아줌마가 보따리를 받으며 인사를 반갑게 했다.

"엄마가 배도 고프다고 하시고 도토리묵 이야기도 하시길래, 묵도 쑤고 전도 좀 부쳤어요."

"할머니들 간식으로 무쳐 드릴게요."

주방 아줌마는 보따리를 들고 얼른 주방으로 들어갔다.

"엄마, 필요하신 거 없으세요?"

막간을 이용해 엄마에게 물었다.

"빗이랑 거울 그리고 그것들 넣을 가방도 있으면 좋겠어."

엄마는 금년 여든여덟, 미수米壽지만 여자는 여자였다.

"내일 우편으로 보내 드릴게요. 가방 안에 찬송가도 넣어서요."

"그래라, 나는 찬송가가 좋더라. 여기서 노래도 해. 재미있어."

"무슨 노래를 하는데요?"

"노래 교실 프로그램이 있어요."

옆에 있던 요양사 아줌마가 대신 대답했다.

"그래도 찬송가가 제일 좋더라."

"찬송합시다!"

그 말끝에 합정동에서 왔다는 할머니가 벌떡 일어났다.

그리고 큰소리로 노래를 부르기 시작했다.

전우의 시체를 넘고 넘어

앞으로 앞으로

낙동강아 잘 있거라

우리는 전진한다

원한이야 피에 맺힌

적군을 무찌르고

꽃잎처럼 떨어져 간

전우야 잘 있거라

수전증으로 벌벌거리며 으흐응대던 할머니가 오늘은 마치 군인이 행군을 하듯 씩씩하게 팔을 내휘두르며 군가를 불렀다.

"그게 무신 찬송가여?"

묵을 무쳐 나오던 주방 아줌마가 웃으며 핀잔을 주었다

씩씩하게 노래를 부르던 합정동 할머니는 고개를 갸웃하시더니 다시 노래를 부르기 시작했다.

동해물과 백두산이

마르고 닳도록

하느님이 보우하사

우리 나라 만세

무궁화 삼천리 화려강산

대한 사람 대한으로

길이 보전하세

이번엔 더 큰소리로 애국가를 불렀다.

할머니들과 함께 나도 따라 박수를 쳤다.

애국가가 끝나자 지난주에 배웠다는 〈봄날은 간다〉를 다

함께 부르셨다.

연분홍 치마가 봄바람에

휘날리더라

오늘도 옷고름 씹어 가며

산제비 넘나드는 성황당 길에

꽃이 피면 같이 웃고

꽃이 지면 같이 울던

알뜰한 그 맹세에 봄날은 간다

새파란 풀잎이 물에 떠서

흘러가더라

오늘도 꽃편지 내던지며

청노새 짤랑대는 역마차 길에

별이 뜨면 서로 웃고

별이 지면 서로 울던

실없는 그 기약에

봄날은 간다

엉덩이를 들썩이고 손뼉을 치며 신나게 노래를 불렀다.

요양원 거실이 갑자기 노래방으로 바뀐 듯했다.

할머니들은 도토리묵이랑 동태전이랑 베지밀을 마시며 온갖 근심을 다 날려 버린 듯 즐겁게 노래를 부르셨다. 그러는 사이 저녁 식사 시간이 다가오고 있었다

"엄마 자주 올게요. 필요한 거 있으면 다 사다 드리고 맛있는 거 많이 사 올게요."

나는 엄마 등을 다독여 드리고 문을 나섰다.

"우리 엄마 잘 부탁드려요. 재미있게들 지내세요."

"걱정 말아요. 잘 돌봐 드릴게요. 가끔 오세요."

"그래야지요. 안녕히 계세요."

내가 현관 앞에서 신을 신자 그때까지 거실 구석에서 싱긋

이 웃으며 앉아 있던 오빠도 따라나섰다.

"잘 가라!"

오늘 엄마 음성은 서운한 목소리가 아니었다. 맛나게 먹고 기분 좋게 놀아서 그러신 것 같았다. 그곳을 나오는 내 마음도 그다지 무겁지 않았다. 엄마 기분도 좋아 보였다. 오빠와 함께여서인지도 모르겠다.

오늘 죽어도 된다

2월 중순, 저 멀리서 봄이 오는 듯 바람이 따스하게 불어왔다.

"네오빌 6단지 하모니 마트요."

중앙역에서 내린 나는 망설이지 않고 기사 아저씨에게 말했다.

요양원 승강기를 탔는데 동승한 할아버지가 먼저 벨을 누르셨다.

요양원에 들어서자 요양사 아줌마가 먼저 알아보았다.

"자주 오시네요. 오늘은 어르신 컨디션이 안 좋으신가 봐요."

엄마는 벽에 기댄 채 창밖을 바라보고 계셨다.

"엄마, 저 왔어요."

엄마는 손을 흔들며 반가워하셨다.

"어떻게 왔니?"

"어떻게 지내시나 궁금해서 왔지요."

"멀고 바쁜데……."

말씀은 그렇게 하시면서 얼굴은 금세 환해지셨다.

엄마 머리맡에는 내 동화『복순이네 꼬꼬』가 놓여 있었다.

'엄마는 글을 못 읽으시는데…… 어떻게?'

지난 겨울 책이 출간되었을 때 구경이라도 시켜 드려야지 하고 갖다 드린 거다.

"엄마, 이 책이 여기에 있네."

"응, 시간 나면 조금씩 본다. 힘들면 쉬었다 읽고."

"읽으니까 어때요?"

"책 속에서 닭이 꼬꼬댁, 하고 울더라."

엄마는 닭 울음소리를 내면서 어린아이처럼 소리 내어 웃었다.

"엄마는 글씨도 모르면서 어떻게 책을 읽으서요?"

나는 의아해서 물었다.

"할머닌 책도 읽으시고 시계도 다 보세요."

옆에 있던 요양사 아줌마가 대신 대답했다.

"하느님이 지혜를 주셨나 보네요."

나는 지금까지 엄마가 글을 쓰는 건 물론 책을 읽는 걸 한 번도 본 적이 없다. 평생 책을 한 권도 못 읽고 글씨 한 번 써 본 적이 없던 분이 책을 읽으니 참 신기했다. 아마 딸이 쓴 책이라고 하니까 일제 강점기 때 문맹 퇴치 운동으로 저녁이 면 동네 사랑방에 모여 앉아 가갸거겨를 배운 기억을 되살려 더듬더듬 한 자씩 읽어 내려가는 것 같았다.

엄마는 기분이 좋아져서 그동안 있었던 이야기를 하셨다. 구정에 아들 여섯이 한꺼번에 세배를 왔다고 했다. 그리고 막내 며느리는 뽀뽀까지 해주고 갔다며 자랑을 했다.

"아들들 다 봤으니 이젠 죽어도 된다."

"왜 돌아가셔? 더 사셔야지."

"여기 분들 신세지니까 그러지."

"미안해하지 않아도 돼요. 젊어서 고생 많이 하셨으니까 늙어서 받는 거라고 생각하고 부담 갖지 마세요."

"매일 돌아가고 싶다고 하세요. 그러면 우리들이 천국이 만원이라 나중에 오라고 한다고 말해요."

요양사 아줌마가 웃으며 말했다.

요양사 아줌마는 삶은 밤을 반씩 갈라 티스푼과 함께 쟁반 에 올려다 주었다.

"밤이 어떻게 여태까지 있었어?"

엄마는 티스푼으로 깨끗하게 파서 잡수며 말했다.

"이번 설에 친정에서 주셔서 가지고 온 거예요. 김치 냉장고에 보관했는데도 많이 변했어요."

"이건 묻어야 안 썩어."

"여기 묻을 데가 어디 있어요?"

"내가 농사를 지어 봐서 알아."

"어르신 큰 농사를 지으셨다면서요?"

"농사만 지었나? 농사 지은 푸성귀를 내다 팔기도 했지."

"팔기까지요?"

"농사 지어서 열무랑 늙은 오이랑 원곡역까지 이고 가서 수인선 열차 타고 인천에 가서 팔았어. 돌아올 때는 비누도 사고 짠 반찬도 사고 아이들 학용품도 사 주려고 돈을 사 왔지. 농촌에서 돈 나올 데가 있어야지."

"그렇게 해서 자식을 키우셨어요?"

"홀시어머니 모시고 자식 열을 낳아 둘은 일찍 죽고 여덟을 키웠지. 대처로 학교 보내느라고 매일 새벽밥을 해서 먹여 보냈어."

"어르신 참 고생 많이 하셨네요."

요양사 아줌마는 엄마 말씀에 장단을 잘 맞추어 주었다.

　열 손가락 깨물어 안 아픈 손가락 없다고 하지만 엄마는 첫 정이 최고라며 큰오빠를 유독 사랑했다. 그런데 큰아버지가 두 번이나 장가를 가도 아들이 없자 아버지는 오빠를 큰댁으로 양자를 보냈다고 한다. 그렇다고 그 집에 가서 산 건 아니고 호적만 올려놓았던 것이다. 그 덕에 큰오빠는 큰아버지 재산도 물려받고 아버지 땅도 물려받았다.
　엄마는 큰오빠를 새벽밥을 해 먹여 기차를 태워 인천으로 고등학교를 보냈다.
　어린 시절 자다 일어나 보면 오빠는 학교 갈 채비를 하곤 했었다. 엄마는 밤잠을 설쳐 가며 새벽마다 아궁이에 불을 때서 밥을 지었다. 그러던 어느 날 너무 피곤한 나머지 깜박 졸다가 치맛자락에 불이 붙어 죽을 뻔한 적도 있다고 했다. 그 일은 지금도 가끔 이야기하신다.
　그후 오빠는 해군에 입대를 했다. 말끔하게 해군 세일러복을 입고 첫 휴가를 나왔다. 그때 할머니는 맨발로 봉당으로 뛰어내려와 오빠를 얼싸안고 대성통곡을 하셨다.
　소문에 의하면 큰오빠에게 예쁜 여자친구가 생겼다고 했

다. 그러나 부모님은 서울 색시는 허리가 개미처럼 가늘고 몸이 약해서 큰며느릿감은 안 된다고 만나 보지도 않고 반대를 하셨다. 대신 군자 염전이 있는 대미 마을에 일 잘하는 색싯감이 있다고 선을 보러 가자고 하셨다. 그 색시는 남자들이 하는 두엄도 치고 아침이면 동생들 도시락도 몇 개씩 싼다고 중매쟁이는 칭찬을 입에 침이 마르도록 했다.

마음 착한 오빠는 속으론 퉁퉁증이 나도 부모님 말씀을 거역하지 못하고 선을 보러 갔다. 마음에 둔 색싯감이 있는데 덩치 큰 시골 색시가 마음에 들 리가 없는 건 당연한 일이었을 것이다.

"아직은 결혼할 마음이 없습니다."

선을 보고 온 오빠는 부모님께 정중하게 말씀드렸다.

"색시가 마음에 안 들면 그 집에서 차린 음식을 먹지 말고 나왔어야지. 차린 음식을 먹고 와서 어떻게 안 하냐?"

엄마는 성화를 내셨다.

오빠는 며칠 밤을 잠 못 자고 고민하다 색싯감을 한 번 더 만나 보자고 했다.

도일 시장 자장면 집에서 만났는데 빨간 루즈를 바르고 입술이 지워질까 봐 조심스럽게 자장면을 먹는 모습이 여성스럽게 보였다고 했다. 그렇다고 마음에 쏙 드는 것은 아니지만 큰며느리는 튼튼해야 된다는 부모님 말씀과 선보러 갔던 날 그 집에서 차린 음식을 먹었으니 딱지를 놔선 안된다는 부모님 말씀을 거역할 수가 없었다. 그해 가을 면사무소 회관에서 결혼식을 올렸다. 원하지 않는 결혼이었지만 연년생으로 아들딸 낳고 제대 후 방직 공장에 취직을 해 세간을 났다.

오빠는 가끔 말끔히 차려입고 고향집에 다녀갔다. 올 때마다 농사지은 것은 물론 돈을 보태 달라고 하는 것 같았다. 아마 이사를 할 때마다 방세를 올려 주어야 했던 것 같다. 결국은 아버지가 젊은 시절 뼈 빠지게 일해 장만한 커다란 산도 헐값에 팔아 갔다.

엄마 마음속에는 큰아들에 대한 남다른 애정이 지금도 그대로 남아 있는 것 같았다. 그런데 그 아들은 본인도 칠순이 훨씬 넘은 탓인지 아니면 사는 게 바빠서인지 엄마한테 무심한 것 같았다. 추석이나 명절 때나 한 번씩 얼굴을 볼 수 있으니 말이다. 큰집으로 양자까지 간 그 아들을 보고 난 엄마는 그래서 '이젠 죽어도 된다'고 생각을 한 것 같았다.

남동생은 다리가 불편한 엄마를 침대가 아닌 좌식 생활을 할 수 있도록 부탁을 드렸다고 했다. 그리고 햇살이 잘 드는 창가 쪽 방을 쓰도록 배려를 받았다.

나는 엄마 요 위에 나란히 앉아 함께 밤을 까 먹었다.

"지금도 일거리 있으면 무슨 일이든지 할 수 있을 것 같아."

엄마는 요양원에서도 일 이야기를 했다.

"엄마 음식 솜씨 좋으셨지. 아버지 생신 때마다 소래 포구에 가서 살아 있는 싱싱한 꽃게 사다 만든 꽃게 무침은 예술이었는데……. 하긴 어쩌다 집에 가도 내가 비린 거 좋아한다고, 어떻게 구했는지 소금에 절인 생선 토막이라도 꼭 있었으니까……. 이제는 갈 집도 없어졌네."

나는 지난 일들이 생각났다.

"엄마는 명절 때면 두부도 손수 만드시고 엿도 며칠씩 장작불 때서 만들어 손님 대접한다고 광 속에 감춰 놓곤 했어요. 엄마 장에 가면 독 안을 뒤져서 훔쳐 먹곤 했었는데……. 독이 깊어서 거꾸로 박혀 죽을 뻔한 일도 있어요. 명절 때 만든 엿을 가을까지 두었다가 팥꼬투리 딸 때도 간식으로 주시곤 했어요. 그 엿 참 맛있었는데……."

나는 어릴 적 생각이 새록새록 났다.

거실에서 할머니들이 바퀴가 달린 걸음대를 밀고 다니며

걷기 운동을 하고 있었다.

"거기 다정하게 앉아 있는 사람 누구여?"

"네, 안녕하세요? 딸이에요."

나는 얼른 일어나서 인사를 했다.

"딸이니까 그렇게 다정히 앉아 있지."

할머니들은 부러운 듯 엄마 방을 기웃거렸다.

엄마는 힘이 드신지 자리에 누으셨다.

"5시에 저녁 먹는데, 밥 먹고 가면 좋은데."

"집에 가서 먹어야죠."

"그래도 네가 만들어 온 도토리묵 먹는 거 보고 가면 좋은
데……."

"그럴까요?"

"나 좀 많이 주라고 해."

엄마는 도토리묵이 많이 먹고 싶다고 하셨다.

엄마가 음식 욕심을 내는 걸 본 건 처음이다.

엄마는 어쩌다 내가 귀한 걸 사다 드려도 이웃들과 나누셨다.

"난 좋은 거라고 혼자 먹긴 싫더라."

그러시곤 했다. 그럴 땐 큰맘 먹고 사 가지고 온 내가 서운
한 적도 여러 번 있었다.

그러던 분이 당신 좀 많이 주라고 하니 먹는 게 부실한 것 같았다.

"엄마 잘 드릴 거예요. 다음에 맛있는 거 가지고 올게요."

"맘대로 해라. 나 도토리묵 먹는 거 보고 가면 좋은 데……."

엄마는 어린아이처럼 나를 잡고 나는 아기를 달래듯 엄마를 다독거렸다.

연분홍 꽃잎이 흩날리던 날

어느새 봄이 왔다.

온 세상이 꽃잔치가 벌어진 듯하다. 꽃잎이 눈처럼 날린다. 두 번째 주일 오후 나는 분홍빛 봄옷을 사들고 엄마한테 갔다.

'엄마는 이 화창한 봄을 몇 번이나 더 볼 수 있을까?'

엄마는 거실에서 텔레비전을 보고 계셨다.

"안녕히 계셨어요?"

엄마는 어리둥절한 채 바라보셨다.

"태호 에미 왔어요."

"이렇게 늦은 시간에 웬일이니?"

엄마는 다 저녁때 온 나를 보고 놀라셨다.

"봄이라 결혼식 갈 데도 있고 며느리가 애도 낳았어요."

"저녁 먹어야지."

"저녁 약속 있어요."

이웃에 사는 민교수님 부부랑 저녁 약속이 있었다. 늦은 시간이나마 엄마를 찾아온 것은 오늘 못 오면 다음 달이나 오게 될 것 같아 나 자신과의 약속을 지키기 위해서였다.

주방 아줌마는 거실에서 휠체어를 밀어 엄마 방으로 데려다 주었다.

"어르신, 따님이랑 이야기 좀 하세요."

"조금만 있다 갈게요."

나는 고맙고 미안했다.

"어디 불편한 데는 없으세요?"

"말짱하다. 여기서 잘 해줘. 손톱도 깎아 주고 목욕도 시켜 주지. 밥도 잘 챙겨 주지 기저귀도 갈아 주고 참 미안해!"

"미안해 마시고 기도해 드리세요."

"얼른 죽어야지, 여기 양반들 고생 안 하게."

"늙은이 죽고 싶다는 말 거짓말이래요."

"……?"

"어떤 노인이 죽고 싶다며 자꾸 약을 구해 달라고 하더래요. 하도 졸라서 어쩌나 보려고 영양제를 주면서 '이거 드시면 돌아가실 거예요' 하고 드렸대요. 그런데 아무도 안 볼 때 쓰레기통에 던지면서 '고얀 것' 하시더래요."

나는 어떤 TV 프로에서 들은 우스갯소리를 했다.

엄마는 웃자고 한 말에 웃지 않았다.

"내가 신세를 많이 져, 죄를 많이 져서 천벌을 받을 것 같아."

"죄 짓는다고 생각 마시고 고마워하세요. 어떤 자식이 늘 붙어서 보살펴 드려요."

"여기 원장이 나보고 투덜이래."

"매사 불평을 하니까 그러지요. 예쁜이 할머니로 별명이 바뀌게 감사하세요."

"저녁이면 잠이 안 와."

"그럴 땐 생각나는 사람을 위해 기도하세요. 나도 늙느라고 그런지 잠이 잘 안 와 책도 읽고 라디오도 듣고 그래요."

"왜 혼자 왔어? 불쌍하게."

"길 아는데요. 시간 날 때 아무 때나 오고 편해요. 동생은 성가대 연습해야 한다고 하더라고요."

"밥 먹어야지?"

"걱정 마세요."

"어서 가!"

"좀 이따가요."

"참 수리떡 잡수실래요? 애비가 안동 가서 선물 받아 왔어요."

나는 잊고 있던 떡을 가방에서 꺼냈다.

엄마는 떡을 오물오물 맛나게 드셨다

"여기선 조금밖에 안 줘. 먹어도 먹어도 배가 고파."

"부족하면 더 달라고 하세요."

"어떻게 나만 더 달라고 해, 못 그러지."

"왜 못하세요? 많이 좀 달라고 하세요."

"아니야, 남하고 똑같이 해야지. 네가 보고 싶은데 안 오는구나!"

"결혼식도 많고 둘째가 애도 낳고 바빴어요."

"뭐 낳았는데?"

"또 딸이요."

"아들도 낳아야지."

"애 키우는데 돈이 많이 들어서요."

"그래도 대가 끊기잖아?"

"요즘 세상에 아들 딸 가리나요?"

"어매, 여기 찾아오는 사람 중에 아들 오는 거 봤어요? 다 딸이지. 딸이 좋아요."

그 때다.

이야기 중에 주방 아줌마가 끼어들었다.

"그래도 씨가 마르잖아."

엄마는 또 딸을 낳았다는 말이 못내 서운하신 모양이다.

바로 그때였다.

지난번 애국가를 씩씩하게 불렀던 합정동 할머니가 내 앞으로 오더니 바지를 훌러덩 내렸다. 순간 당혹스러웠다.

"여기가 아파 죽겠어."

바지를 내리자 기저귀가 보였다.

"어르신은 걸어 다니시는데 왜 기저귀를 차고 계세요?"

나는 의외라는 듯 물었다.

"여기선 다 기저귀 차고 살아요."

요양사 아줌마가 알려 주었다.

할머니 오른쪽 엉덩이가 욕창으로 벌겋게 되어 있다.

"아이고 ! 아프시겠어요? 약 바르셔야지요?"

"약 없어!"

"한쪽으로 누워 계셔서 욕창이 생겼나 봐요. 이쪽저쪽 번갈아 누우세요."

엉덩이를 훌러덩 까내리고 아파 죽겠다던 할머니는 내 말을 듣는 둥 마는 둥 으으웅거리며 고개를 흔들고 거실로 다시 나갔다.

엄마가 처음 요양원에 와서 제일 힘들어 한 게 화장실 문제였다. 오른쪽 다리를 못 쓰긴 했지만 기어서라도 화장실에 가서 볼일을 보고 싶었다. 그런데 요양원에선 지저귀에다 소대변을 다 보라고 했다.

깔끔하기라면 신발 벗어들고 달려도 못 따라온다고 소문이 난 엄마가 멀쩡한 정신에 기저귀에다 똥을 누는 건 용납이 되지 않았던 것이다. 집에 계실 때도 요실금 때문에 면 기저귀를 속옷에 대고 지내긴 했다. 그건 소변이 본인의 의사와 관계없이 저절로 나와서였지 기저귀에다 대놓고 해결했던 건 아니었다.

"방에다 요강이라도 하나 들여봐 주었으면 좋으련만 ……."

엄마의 작은 바람은 이루어지지 않았다. 기저귀에다 대소변을 보는 것도 적응이 안 됐지만 더 수치스런 일은 밤에 남자 요양사가 기저귀를 갈아 주는 것이었다. 나이는 여든이 넘어 아흔을 바라보지만 여자는 여자인데 자신의 치부를 젊은 남자에게 보이는 것은 차마 못할 일이었을 것이다. 엄마

는 밤에 기저귀를 갈아 줄 때마다 본능적으로 몸을 움츠렸을
거고 남자 요양사는 자기의 일을 하기 위해 힘을 써서 잡아
뺄 수밖에 없었을 것이다.

"그놈이 그냥 확 잡아당겨!"

엄마는 그렇게 불만을 토로하셨다.

거기다 요실금이 심하다고 요도 깔아 주지 않았다. 종일
누워 있다시피한 엄마는 잠자리가 배겨 불편했다. 거기다 함
께 방을 쓰는 할머니가 죽은 듯 종일 누워 있는 중증 환자였
으니 그야말로 지옥 같은 생활이라고 하셨다.

"지옥이 따로 없다. 여기가 바로 지옥이다."

많은 시간이 지나도 적응을 못하더니 이곳으로 옮기면서
체념을 한 건지 화장실 이야기도 집타령도 안 하고 그냥저냥
생활을 하고 계셨다.

사 가지고 간 봄옷을 갈아 입혀 드렸다. 엄마는 어린아이처
럼 좋아하셨다. 주름진 얼굴에 복숭아꽃 웃음이 번졌다.

문밖에는 어둠이 서서히 내려오고 있었다.

마음이 바빠진 나는 선걸음에 돌아오다시피 요양원을 나
와 전철역으로 향했다.

너는 이런 곳에 오지 마라

엄마에게 갖다 드릴 음식을 준비하기 위해 이른 아침부터 냉장고를 뒤졌다.

며칠 전 문중의 날 고향 다녀오다 남편이 사 온 꽃게 찌고, 작년 가을 비무장지대에서 사온 도토리 가루를 꺼내 묵도 쑤었다. 오리고기도 구웠다.

미리 사다 놓은 여름 카디건, 인견 바지, 그리고 인사동 아름다운 가게에 들렀다 산 나무 십자가, 침대 옆에 놓을 휴지통 등 이것저것 물건을 챙기다 보니 짐이 두 보따리나 되었다.

마을버스를 타고 부천역에서 전철을 바꿔 타고 구로와 금정에서 환승 후 중앙역에서 내렸다. 세월호 사고로 안산시가 매우 슬픔에 잠겼을 거라는 예상과는 달리 겉모습은 평온한 일상인 듯했다. 택시를 타고 요양원 마트 앞에 내려 수박을 큰 걸로 골라 배달을 시켰다. 요양원에 올라가니 마침 점심 식사 시간이었다. 다른 할머니들이 식탁에 모여 앉아 함께 식사를 하고 있었다. 그런데 엄마는 침대에 앉아 혼자 식사를 하고 계셨다. 요양원은 내부 수리를 시작했고, 엄마는 다른 방으로 옮겨져 있었다.

"어르신이 침대를 사용하시니까 좋으시대요."

묻지도 않았는데 요양사 아줌마가 말했다.

'침대를 사용하면 움직일 수 있는 공간이 적어 무척 갑갑하실 텐데.'

속으론 그렇게 생각되었지만 잔소리 같아 말을 아꼈다. 일하시는 분들이 편리하기 위해 엄마를 침대로 옮겨 드린 것 같았다. 점심 식사는 한눈에 봐도 부실해 보였다. 스텐 식판에 반찬은 돼지 고추장 불고기 두어 젓가락과 밥을 무국에다 비벼 드시고 있었다.

"여긴 김치도 없고 오이지도 없다. 아침이면 죽만 조금 준다. 먹기 싫은데 억지로 먹는다."

"……."

나는 엄마가 식사하는 모습을 가만히 바라보고 있었다.

"넌 나중에 이런 곳에 오지 마라!"

엄마는 국물에 비빈 밥을 억지로 드시며 말했다.

나는 대답을 잊은 듯 가만히 서 있었다.

"이거 한 점 먹어 볼래?"

엄마는 돼지 불고기를 먹어 보라고 하셨다.

"괜찮아요."

"질겨서 못 먹겠다."

나는 가지고 간 보따리를 풀어 꽃게 찜을 먹기 좋게 발라 입에 넣어 드렸다. 오리고기도 연한 상추쌈에 싸서 먹여 드렸다.

"돼지고기 삶아 온다고 했잖니?"

엄마는 꽃게 찜을 받아 잡수시며 말했다.

"다음에 꼭 해다 드릴게요. 오리고기는 맛이 없어요?"

"맛있어. 그런데 내가 부침개는 다 먹은 거냐?"

"아니오. 이따 저녁에 드세요."

점심 식사가 끝날 무렵 마트에서 수박이 배달되었다.

"오다 보니 수박이 벌써 나왔더라고요. 어르신들 맛보시라고 가져다 달라고 했어요."

"돈 없애고 다음부턴 사 오지 마라, 아껴야지."

"내가 어르신들을 대접해야 엄마도 다른 사람한테 대접을 받지요. 그리고 외로운 노인들 대접하면 좋은 일이잖아요?"

"하긴 그렇다."

"엄마 여름옷 사 왔어요. 마음에 드시나 보세요."

"예쁘다. 이걸로 입혀 줘."

엄마는 노란 면티로 갈아입혀 달라고 하셨다.

새 옷을 갈아입고 좋아하는 엄마는 어린아이 같았다.

"오실 때마다 옷을 사 오시네요."

아줌마가 한 마디 거들었다.

"나이 드시면 입성이라도 깔끔해야 보기가 좋지요. 때 맞춰 갈아입혀 주세요."

나는 옷 보따리를 요양사 아줌마에게 건네주었다.

함께 세탁을 해서인지 요양원에선 옷에다 일일이 이름을 적었다. 다른 할머니들과 구별을 해야 하기 때문이라고 했다.

"엄마 시간 날 때마다 기도하세요. 하늘나라 갈 때 평안히 가게 해 달라고요."

나는 나무 십자가를 목에 걸어 드렸다.

"아멘!"

목걸이를 걸어 드리자 얼른 '아멘' 하셨다.

"엄마, 가다가 아버지 산소에 들렀다 가려고요."

나는 여기까지 온 김에 그리 멀지 않은 아버지 산소와 친정 집에도 들러보고 싶어졌다.

"엄마, 다음에 또 올게요."

"바쁜데 오지 마라."

엄마는 내가 혼자서 먼길을 왔다 돌아가는 게 왠지 안쓰럽고 당신 때문에 고생한다는 생각이 드신 모양이다. 엄마는 침대에 앉아서 잘 가라고 손을 흔드셨다.

요양원에서 나와 모처럼 큰맘 먹고 택시를 잡았다. 아버지 산소가 있는 대쟁이 마을로 향했다. 택시비가 8천 원이나 나왔다. 아버지 산소를 찾아온 나는 할머니 산소가 아버지 산소 옆에 있었다는 것을 새삼 깨달았다.

"아! 할머니!"

타임머신을 타고 할머니와 함께 살았던 어린 시절로 잠시 돌아갔다.

백발머리 쪽을 지고 허리가 팍 꼬부라진 할머니, 오봉산 고개 넘어 작은 고모네로 나들이 함께 가시던 할머니, 중풍으로 오랫동안 똥을 싸다 돌아가신 할머니, 고명딸이라고 늘 당신 곁에 그림자처럼 두고 사랑해 주시던 할머니가 생각났다.

"아버지, 저 왔어요."

아버지 산소 앞 꽃병에 집에서부터 준비해 온 꽃다발을 꽂아 드렸다.

팔남매 키우시느라 고된 일만 하다 돌아가신 아버지께 이 책을 올립니다.

창작동화집 『복순이네 꼬꼬』 앞장에 이렇게 써서 산소 상석에 올렸다.

"누님!"

그때 등 뒤에서 남동생 목소리가 들렸다.

"누님! 웬일이세요?"

"엄마한테 다녀가는 길에 들렀어. 너는?"

"비가 내릴 것 같아 파 모종 하려고."

약속도 없이 아버지 산소에서 동생을 만나니 참 기분이 묘했다.

남동생은 가족묘지 남은 자투리땅에다 여러 가지 채소를 심어 놓고 농사도 짓고 묘소를 돌보고 있는 모양이다.

"집에도 좀 들렀다 가려고."

"그럼 천천히 다녀와요. 그동안 농사지은 것 좀 싸 놓을게.

아버지가 안 계시니까 내가 대신 농사지어 누나를 드려야지.”

 “말만 들어도 고맙다.”

 아버지는 자식처럼 키운 푸성귀들을 너 좋거들랑 전부라도 가져가라고 하셨다. 아쉬울 때 친정엘 가면 내가 온다는 소식을 들은 아버지가 미리 보따리를 꾸려 두셨다. 돌아올 때는 석고개 넘어 버스 정류장까지 지게로 지고 오셨다. 그리고 차가 오길 기다렸다가 실어 주시고 빈 지게를 지고 돌아가시곤 하셨다. 그 아버지는 지금 저 산소에 영원히 잠들어 계셨다.

 막내가 파 모종을 하는 동안 친정 동네를 향해 천천히 걸었다. 어린 시절 난 이 길을 걸어 학교를 다녔다.

 사방으로 나지막한 산으로 둘러싸인 조용한 산골 마을.

 서해안 시대가 열린다고 개발 바람이 불고 천지가 개벽을 한 듯 농토가 고속도로로 수용이 되었다. 농사를 천직으로 알던 마을 사람들은 수억 원의 보상금을 받고 사는 모습들도 바뀌어 갔다. 눈만 뜨면 논밭으로 나가 일을 하던 사람들이 이집 저집 앞다투어 승용차를 사고 아낙네들은 헬스 가방을 메고 에어로빅을 하러 다닌다.

아버지는 유복자로 태어나 어려서부터 열심히 나무를 해다 팔고, 송아지도 키워 멀리 오이도까지 가서 품팔이로 전답을 장만하셨다. 그 전답을 여덟 자식 뒷바라지와 분가시킬 때 한 자리씩 떼어 주기도 하고 남은 것은 골고루 나눠 등기를 해 주셨다. 당신 것은 아무것도 없었다. 아니 일부러 남기지 않았다고 해야 맞는 말이다. 평생 자신을 위해선 아무런 욕심 없이 사셨다. 당신 먼저 가고 나면 자손들이 남은 재산 때문에 싸움이라도 날까 봐 미리 나누어 주셨다.

저수지처럼 넓어 겨울이면 온 동네아이들이 썰매를 타던 마을 앞 노른자 논이 수용되어 없어지고 소도 더 이상 키우지 않았지만, 아버지는 텃밭에 나가 열심히 푸성귀를 키웠다. 바뀐 것이 있다면 새벽이면 소죽을 쑤는 대신 대청마루에 나가 기도를 하시는 게 일이었다.

엄마가 그토록 그리워하시는 고향집, 나는 그집 툇마루에라도 앉아 있다 오고 싶었다. 집 앞에 오니 생각지도 못한 커다란 개 두 마리가 짖어 댔다. 고향집에는 시골집을 좋아하는 사람이 이미 세를 들어 살고 있다고 했다. 마당에 발도 못 디뎌보고 도망치듯 뒷걸음쳐 냇둑으로 물러 나왔다. 개는 거기까지 쇠목줄을 치렁거리며 따라왔다.

내친 김에 동네도 한 바퀴 돌아볼 겸 우산이 산장을 향해 걸었다. 어린 시절엔 외딴집 과수댁이 살던 가난한 초가집이었다. 그런데 지금은 안산에서 제일 유명한 보신탕집으로 소문난 맛집이 되었다.

우산이 산장에 들러 남편이 좋아하는 보신탕을 포장해 돌아오는 길에 성미 아버지를 만났다. 성미 아버지는 아버지가 돌아가셨을 때 묘지에 잘 모셔 준 고마운 분이시다.

"아저씨, 안녕하세요?"

"어쩐 일로?"

"어머님 뵙고 가는 길에 보신탕 좀 사 가는 길이에요."

"아주머니 좀 어떠세요? 한 번 찾아 뵈야 하는데 죄송합니다."

"별말씀을요, 정신은 말짱하시고요, 심심하시대요."

나는 돌아 나오는 길 고향집 앞에서 사진이라도 몇 장 찍고 싶어 핸드폰을 꺼냈다. 개들이 다시 짖이 대며 따라왔다. 멀리서 대충 사진을 몇 장 찍고 냇둑길을 천천히 걸어 산소로 돌아왔다.

그동안 남동생은 파, 상추, 아욱, 열무 등을 한 보따리 싸 놓고 기다렸다.

대쟁이 마을 버스 정류장에서 차를 기다렸다. 부천 가는 1

번 좌석 버스는 빨리 오지 않았다. 차를 기다리는 동안 길가에 있는 쑥을 뜯었다. 43분 만에 버스가 왔다.

비가 한두 방울씩 떨어지기 시작했다.

부천역에서 내리니 빗줄기가 점점 더 굵어졌다.

미처 우산을 준비하지 못한 사람들이 비를 피하려고 상가 건물 처마 밑에 모여 서서 20번 마을버스를 기다리고 있었다. 부천고교 버스 정류장에서 내려 천천히 집으로 돌아왔다.

"왜 비를 맞고 와? 우산 가지고 나가려고 여러 번 전화했는데."

비를 홀딱 맞고 온 나를 보고 남편이 놀란 듯 말했다.

"벨 소리 못 들었는데요."

'너는 이런 곳에 오지 마라' 하시던 엄마 말씀이 머릿속에서 떠나질 않아 벨소리도 못들은 모양이다.

창밖에선 비바람이 그치질 않고 몰아쳤다.

빗소리를 들으며 뒤척이다 어느새 잠이 들었나 보다. 한밤중 깨어나 보니 비가 언제 왔냐는 듯 환한 달빛이 방안 가득 들어와 있었다.

모도 내고 싶고 밭도 매고 싶다

2014년 6월 5일, 엄마의 90번 째 맞이하는 생신날이다.

1925년 을축년乙丑年 소해 윤사월 열사흘 태어난 엄마는 음력 4월에 윤달이 있기 전에는 생일이 없다고 했다. 생일 없는 장모를 위해 남편은 만세력을 찾아 생일을 양력으로 지내시게 했다.

양력 6월 5일이 엄마가 태어난 날이라고 했다. 그런데 그 생일을 기억하는 자식은 별로 없었다.

나는 남동생에게 전화를 했다.

"엄마한테 뭘 사 가지고 가면 좋을까?"

"누나 마음대로 해. 나는 어제 케이크랑 치킨 사 가지고 다녀왔어."

동생은 생신날 혼자 다녀왔다고 했다.

나는 하루 뒤인 현충일, 공휴일에 다녀오기로 했다.

동네 단골 정육점에 들렀다.

"할머니 잡술 건데 보쌈거리 부드러운 것으로 주세요."

"항정살이 있는 목살 부분이 좋은데요."

"보여 주세요."

"이게 돼지고기 중에 제일 맛있는 부분이에요."

정육점 주인은 요즘은 삼겹살이 금겹살이라고 했다.

한 근반을 2만 원 주고 사 왔다.

생강과 양파, 된장을 넣고 푹 삶았다.

애호박 두 개를 썰어 부침도 만들었다.

"바로 부친 거 따끈한 거 한 쪽 주면 얼마나 맛있겠냐? 식어 빠진 거 가위로 잘라 두어 조각 주고 말아."

지난번 갔을 때 엄마는 작은 소리로 말씀하셨다. 부침개 부치는 냄새에 무척 잡숫고 싶으셨나 보다. 큰 살림하시던 분이 배급 주듯 식판에 조금씩 주는 요양원 반찬들이 성에 안차신 것이다.

나는 엄마가 말씀하시면 잊지 않고 기억했다가 다음에 갈 때 꼭 해다 드리곤 했다. 엄마가 좋아하시는 조개젓도 무치고 보쌈과 호박전도 쌌다. 음식 만드느라 집을 나서기도 전에 힘이 들었다.

6월 초순인데도 햇볕이 한여름처럼 따가웠다.

요양원을 가려면 아파트 정문에서 버스를 타고 부천역에서 전철로 환승, 구로와 금정에서 또 바꿔 타고 중앙역에서 내려 택시를 바꿔 타야 한다. 돌아올 때까지 합하면 열 번을 갈아탄다.

택시에서 내려 하모니 마트에서 참외를 샀다.

"참외 났니?"

지난번 갔을 때 엄마가 물어보셨다.

참외와 보쌈, 엄마 여름옷을 양손에 들고 승강기를 타러 갔다.

승강기 앞에 여동생이 조카와 같이 서 있는 게 보였다.

"같이 가자!"

내가 큰 소리로 불렀다.

"웬일이에요?"

동생은 약속도 없이 만나니까 신기한 듯 말했다.

"나 두 번째 주일날은 여기 와. 엄마도 보고 할머니들이랑 놀다 가."

"난 오랫만에 오니까 집도 잊어버려 차도 옆 건물에 세워 놨어."

"일을 나가니까 시간 내기가 어렵더라구. 그래서 날짜를 정해 놓고 와. 돌아가시기 전에 한 번이라도 찾아뵙는 게 낫지, 돌아가신 후엔 소용없잖아?"

"난 빈손으로 왔어. 모시고 나가서 맛있는 거 사 드리려고 하는데."

동생은 보따리를 받아 들며 말했다.

요양원은 아직도 내부 공사 중이었다.

할머니들 몇 분은 여전히 텔레비전을 보고 계셨다.

엄마는 혼자 침대에 누워 있었다.

"많이 컸구나! 몇 살이니?"

엄마는 조카를 보고 물어보셨다.

"서른이요."

"장가 가야지."

"아직 없어요."

"왜 없어? 옛날 같으면 애를 낳아도 몇은 낳았겠다."

엄마는 외손자를 보고 장가 타령을 하셨다.

나는 사 가지고 간 참외를 새로온 간호사에게 주었다. 참외를 받은 주방 아줌마가 금방 달려왔다.

나는 조개젓 무침을 드리면서 엄마가 좋아하시니까 끼니

때마다 조금씩 드리라고 부탁을 했다. 그리고 부천역 지하도에서 산 조끼랑 블라우스를 보여 드렸다.

"이건 내가 입어야 쓰것네."

주방 아줌마가 말했다.

"그러세요. 요즘 입으면 좋을 것 같아서 샀어요.

"웃자고 하는 말이지."

아줌마가 다시 웃으며 말했다.

"아니에요. 잘 어울리세요."

내가 진정으로 말했다.

"어매! 진짜 나 입어도 돼요?"

"응, 입어."

엄마가 흔쾌히 대답을 하셨다.

"내가 밥해 드리고 똥도 치워 드리니까 내가 입을라요."

주방 아줌마는 베이지색 조끼를 입어 보며 좋아라 했다.

지난번에는 면 티셔츠를 서너 장 사다 드려도 혼자 다 입겠다고 하시더니 엄마가 이번엔 별로 욕심을 안 내셨다.

엄마는 얄포름한 꽃무늬 남방을 입고 계셨다.

엄마가 예쁘게 입고 계시니까 보는 내가 더 좋았다.

"엄마, 밖에 나가서 맛있는 거 사 드릴까요?"

동생이 말했다.

"별로 생각 없다."

엄마는 따라 나설 자신이 없으신 듯했다.

기저귀를 차고 있는 백발 노인을 좋아할 식당도 없을 것 같기도 했다.

"그럼 여기서 보쌈 잡수실래요?"

"응."

나는 집에서 만들어 온 음식을 침대에 붙은 식탁 위에 올려 놓았다.

"부침개는 안 먹을란다."

"그럼 상추에다 고기 싸 드릴까?"

"고기만 줘."

나는 돼지고기 삶은 것을 새우젓에 찍어 입에 넣어 드렸다.

엄마는 아주 맛나게 드셨다.

너무 급히 드시는 건 아닌가 염려가 되었다.

핸드폰을 열고 손녀딸 사진을 보여 드렸다.

"애가 큰손녀딸이에요."

"에구! 크구나!

"어린이집 다녀요."

"애가 몇이냐?"

"셋이요."

"애가 둘째네 새로 난 애기예요."

"아들은 없냐?"

"다 딸이에요. 그래서 내가 딸딸이 할머니예요."

엄마는 서운한 표정을 지으셨다.

"엄마, 지난번 왔을 때 아버지 산소에 들러 갔어요. 이 산소가 엄마 시집살이 시켰던 할머니 산소고요, 그 옆이 아버지 산소예요. 할아버지와 할머니는 합장을 해서 모셨고요. 산소 둘레도 하고 비석도 세웠어요. 아버지 산소는 아직 안 했어요, 엄마 오시면 합장을 해서 모시고 산소 둘레도 쌓고 비석도 세울 거래요. 아버지가 엄마 오시기 기다리고 계세요."

내가 사진을 보여 드리며 이런저런 이야기를 하는 동안 엄마는 보쌈을 다 드셨다. 먹고 싶은 보쌈을 실컷 드셨는지 흡족한 얼굴이셨다.

"엄마! 심심하시다면서요? 뭐가 제일 하고 싶으세요?"

"응, 논에 나가 모도 내고 밭도 매고 싶어."

"아니! 일을 그렇게 많이 하며 살았는데 더 하고 싶으세요?"

"그래, 논으로 밭으로 다니며 일이 하고 싶어."

나는 어처구니가 없었다.

"내가 우산이 마을에 살았어. 진덕사가 있었는데 사람들이 많이 다녔어. 석가탄신날 절에 가는 사람들이 우리 집 마당에 차를 세워 놨어."

"예, 맞아요. 우산이 마을에 사셨어요. 동네 사람들 보고 싶으세요?"

"응."

"누가 제일 보고 싶으세요?"

"다 보고 싶지."

"그중에 누가 제일 보고 싶으세요?"

"득희 어매가 잘했어. 포도도 주고."

"포도 나면 사다 드릴게요."

"상숙이 엄마도 보고 싶어."

"지난번 보신탕 사러 갔다가 성미 아버지는 만났어요."

"많이 늙었지?"

"별로 늙진 않았는데 건강이 안 좋대나 봐요."

엄마와 나는 고향마을 이야기를 나누었다.

"이제 가 봐라."

"다음에 또 올게요."

엄마는 사시던 집을 그리워하시면서 자신의 처지가 그럴 수 없다는 것을 아시고 억지로 체념을 하시는 것 같았다.

엄마는 어여들 가라고 손을 내흔들었다.

나는 엄마의 90세 생신 축하드린다는 말도 죄송해서 못하고 그냥 돌아왔다.

조카가 집까지 차를 태워다 주어서 편히 돌아왔다. 거기다 한촌 돼지갈비까지 저녁으로 사 주었다.

엄마를 뵈러 갔다가 편안하게 집에 올 수 있었고 맛있는 저녁까지 먹기도 처음이다.

엄마의 아흔 번째 생일은 우리끼리 맛있게 먹은 셈이 되었다.

개미 새끼 한 마리 안 다녀갔다

저녁 늦게 전화 벨이 울렸다.

'혹시 엄마가 돌아가셨나?'

늦은 시간 벨 소리가 울리면 가슴이 덜컥 내려앉는다.

"월요일이 아버지 제사야. 넷째형이 제사상 차린대. 고향도 올 겸 내려올 수 있으면 누나도 와요."

"퇴근이 일곱 신데…… 알고 있을게."

친정 아버지가 1996년도에 돌아가셨으니까 벌써 8년이 되었다. 그동안 아버지 제사를 한 번도 참석 못했다. 굳이 가려고 했다면 못갈 것도 없었겠지만 '살아 계실 때 고기 근이라도 사다 드려야지 돌아가신 후에야 무슨 소용이 있나' 하는 평소 생각 때문이었는지도 모른다.

친정 아버지 제사라는 연락을 받고 보니 아버지보다 요양원에 계신 엄마 생각이 더 났다.

지역 아동 센터 아이들과 서천 유스호스텔로 3박 4일 수련회를 다녀온 후 여독이 덜 풀렸지만 엄마를 찾아뵙는 두 번째 주일이기도 해서 엄마한테 가기로 했다.

막상 가려고 하니 여러 가지 챙겨 드려야 할 것이 생각났다.

여름옷은 있으신가?

고기를 좋아하시는데 배탈이라도 나면 요양사들이 싫어 할 것 같았다. 치킨 생각도 했다가 엊그제 손님이 사 가지고 온 제과점 과자랑 카스테라를 챙겼다. 여름 티셔츠 두 장과 지난 달 갖다 드리려다 빼 놓고 간 속옷 세 장도 가방에 넣었다.

부천역은 지하도 공사를 하고 있었다. 횡단보도를 건너가는데 구석 옷가게가 발길을 붙잡았다. 인견 바지랑 시원한 천으로 된 치마바지를 사고 티셔츠도 두 개 더 샀다. 엄마는 남의 옷을 잘 입지 않는 성격이라 내가 입던 옷도 새옷이 아니라 마음에 차지 않으실 것 같았다.

이런저런 생각을 하다가 구로역에서 내리지 못하고 영등포까지 갔다. 내려 다시 전철을 타고 금정에서 환승을 하고 중앙역에서 택시를 탔다.

하모니 마트에서 포도를 한 박스 사서 들고 6층으로 올라가 요양원 벨을 눌렀다.

목과 허리가 꼬부라진 꼽추 아저씨가 문을 열어 주었다. 안으로 들어가니 요양사 아줌마가 포도를 받아 들며 반갑게 인사를 했다.

할머니 몇 분은 텔레비전을 보고 계시고 할아버지 한 분도 휠체어를 타고 앉아서 반가운 미소를 지으셨다.

"뭘 그렇게 잔뜩 가져와요?"

"포도가 났더라고요. 어르신들 맛보시라고요."

처음 뵌 인상 좋으신 할머니가 미소를 지으셨다.

엄마는 4인실에 누워 계셨다.

"저 왔어요. 태호 에미요."

"아이구! 어떻게 왔니?"

엄마는 반가운 미소를 지으셨다.

지난달보다 기력이 더 없어 보이셨다.

창문 앞에 있는 텔레비전에선 주일날이어서 그런지 대형 교회 목사님 설교가 나왔다.

두 분 할머니는 기척도 없이 누워 있고 엄마 옆에 누워 계신 분은 계속 선생님을 불러 댔다. 아마 물을 달라고 그러시는 것 같았다.

엄마도 거동을 못하시니까 침대 위에서 일으켜 주면 앉고 평소엔 많이 누워 지내시는 것 같았다.

"언니는 뭐하니?"

엄마는 나와 동생을 착각하고 계신 것 같았다.

"내가 큰딸이고 동생은 교회에서 성가대 연습해야 한대요."

사실 지난해까지만 해도 동생한테 전화를 해서 엄마한테 같이 들르곤 했는데 전화를 하면 교회에서 봉사를 해야 한다고 못 간다고 했다. 자꾸 전화를 하면 부담을 주는 것 같아 길을 모르는 것도 아니고 혼자 다니게 되었다.

"엄마, 누가 다녀갔어요?"

"개미 새끼 한 마리 안 다녀갔다."

"……?"

"저이는 시상 아들 딸 며느리가 와, 부러워."

엄마는 옆에 누워 계신 할머니를 가리키셨다.

그 할머니는 밥을 못 드시고 죽만 드신다며 불쌍하다고 하셨다.

"엄마, 뭐가 드시고 싶으세요?"

"여긴 개뿔도 없다. 김치도 없고 오이지도 없어. 아침마다 죽을 주는데 난 죽 먹기 싫어서 욕지기가 난다."

"고기 좀 싸 올까 하다가 여기서 싫어하는 것 같아서 과자랑 빵 조금 가져왔는데 다음에는 통닭 사 올까요?"

"조금만 가져와라, 몰래 나만 먹게. 지난번 네가 사 주고 간 사탕도 두 개밖에 못 먹었어. 안 줘."

침대에 앉아 있는 엄마 얼굴이 피곤한 기색이 역력했다.

"엄마, 좀 쉬셔야지요? 눕혀 드릴까요?"

"괜찮은데 언제 또 올래?"

"자주 올게요."

"나 죽으면 못 본다."

엄마 눈가에 이슬이 반짝였다. 나는 애써 못 본 체하려다 휴지를 꺼내 눈가와 입가를 닦아 드렸다.

엄마는 카스테라는 한 쪽만 드신다고 하셨다. 과자는 서너 개를 잡수셨다.

"이것도 안 주면 어떡해?"

"휴지통 옆에 두고 입 궁금하실 때 하나씩 드세요."

엄마는 이불자락을 끌어 과자가 보이지 않게 감추었다.

'아니, 엄마가 저럴 수가…….'

나는 충격을 받았다.

"엄마 또 올게요."

"잘 가라."

엄마는 기력이 없으신지 자리에 누우시더니 곧 눈을 감으셨다.

엄마가 있는 중증 노인 방을 나오니 요양사 아줌마가 밖에 있었다.

"어르신이 자꾸 가고 싶다고 하세요."

"평생 사시던 곳인데 왜 안 그러시겠어요. 본인 의사도 묻지 않고 어느 날 갑자기 모시고 왔으니 얼마나 힘드시겠어요?"

"그 말씀이 아니고요, 하늘나라로 가고 싶다고 하세요."

나는 동문서답을 하고 있다는 것을 뒤늦게 깨달았다.

"아, 네! 그러고도 싶으시겠지요. 평생 고생하시며 사셨는데 자식들이 오지도 않으니 얼마나 마음이 힘드시겠어요. 그래도 그게 사람 마음대로 되는 일인가요?"

"너무 걱정 마세요. 전보다 잠도 잘 주무시고 괜찮아지셨어요."

"네, 잘 부탁드립니다. 또 올게요."

'과자 한 통 드리고 가요.'

입 안에서 맴도는 말을 삼키고 그냥 발길을 돌렸다.

중앙역을 향해 걸었다.

'나는 어머니를 버린 죄인입니다'

어느 시인의 시 구절이 떠올랐다.

엄마도 아버지처럼 돌아가실 날이 머지 않으리라.

아버지가 먼길을 가시던 날 생각이 났다.

먼길

"쿵!!"

아버지가 마당을 쓸고 들어오시더니 거실에서 쓰러지셨다.

"이봐요! 할아비, 왜이래요? 정신 좀 차려 봐요!"

아침밥을 준비하던 엄마는 깜짝 놀라 아버지를 흔들었다.

아무리 흔들어도 아버지는 쓰러진 채 꿈쩍도 안 하셨다.

엄마는 허둥거리며 맨발로 마당으로 나왔다.

"이봐요, 누구 없어요?"

"……."

"우리 할아배가 쓰러졌어요."

"……?"

텃밭에서 김을 매던 이장 아저씨가 달려왔다.

"할아배가 속이 쑤세미로 긁어 대는 것 같다고 하더니만 ……."

엄마는 말을 잇지 못하고 어쩔 줄 몰라 허둥거렸다.

이장 아저씨는 119에 전화를 했다.

얼마 후 앵앵거리며 성황당 고갯길을 구급차가 달려왔다.

구급대원들은 쓰러진 아버지를 하얀 홑이불로 씌워 구급차에 싣고 떠났다. 아버진 이미 이 세상 사람이 아니었다.

안산 장례식장 영안실에 모셔 놓고 자식들에게 전화를 했다.

소식을 들은 자식들이 단숨에 달려왔다.

성황당 고개 넘어 사는 남동생은 반바지에 슬리퍼를 신고 달려 왔다.

유원지에서 맛집을 하는 둘째오빠는 허둥대며 차를 몰고 오다 가 앞차를 박아 헤드라이트가 깨져 버렸다.

아버지 소식을 들은 8남매 자식들은 앞다투어 허둥지둥 장례식 장으로 달려왔다. 그리고 소식을 들은 동리 사람들은 물론 이웃 마을 사람들 그리고 먼 곳에 사는 친척들도 서둘러 모였다.

평소엔 볼 수 없었던 사람들이 어디서 그리 많이도 몰려오던지 장례식장은 사람들로 북적거렸다.

빈소에는 상주들은 물론 당숙 내외분까지 자리를 잡고 계시고 아버지보다 나이가 다섯 살 많으신 작은고모는 빈소를 지키며 "내가 먼저 죽어야지 네가 먼저 왜 죽니?" 하면서 종일 읊조리며 슬퍼하셨다. 엄마는 얼이 빠진 듯 멍하니 앉아 노란 동태전을 입에 물고 오물거리고 있었다.

밤이 깊어 가면서 문상객들은 화투도 치고 술잔을 기울이면서 껄껄거리기도 했다. 모두들 초상집인 걸 잊은 건 아닌가 싶을 정도로 분위기는 무르익어갔다. 문상객들이 뜸해지자 상주들끼리 술잔을 돌리며 이야기를 나누었다.

"우리 아버님처럼 멋지게 돌아가신 분은 없을 거예요."

막냇며느리가 '멋지게'를 힘주어 말했다.

"난 아버지가 돌아가셨다는 게 믿어지지 않아. 작은 애가 전화해서 외할아버지가 돌아가셨대. 누구네 외할아버지냐고 물었더니 우리 외할아버지래. 그러면 우리 아버지잖아?"

나는 아직도 실감이 나지 않는 듯 말했다.

"허허허……."

둘째오빠는 재미있다는 듯 큰 소리로 웃었다.

"참 복 있게 돌아가셨어. 새벽마다 대청마루에 나가서서 기도를 하셨어. 엄마한테 벙어리 기도한다고 지청구도 많이 들으셨지."

남동생도 한 마디 거들었다.

"정말 대복이야, 대복. 착하게 사셨으니 천사가 데려가신 것 같

아. 울지 말고 보내 드리자고."

큰올케가 남의 말 하듯 말했다.

"구구팔팔이삼사라고들 하는데 돌아가시는 날까지 마당을 쓰셨으니 대복은 대복이지."

큰오빠도 점잖은 목소리로 말했다.

"아 글쎄, 아프신 데가 한 군데도 없으셨다니까. 뭐든지 잘 잡숫고 싫어하시는 게 없으셨다니까."

아버지와 한마을에 사는 다섯째오빠가 말했다.

"술을 좋아하셔서 아픈 줄도 모르신 거 아니야? 우리 아버지가 제일 좋아하신 게 바로 이거야."

소주병을 들어 올리며 술 취한 소리로 넷째오빠가 말했다.

"뒤늦게 교회에 나가셨지만 그래도 구원받고 돌아가신 게 제일 감사하지."

구석에 가만히 앉아 있던 여동생도 한 마디 보탰다.

갑자기 돌아가신 게 아주 잘된 일이라는 듯 마치 잔칫집 같은 분위기였다.

이튿날 아침 상주들은 모두 입관실로 내려오라고 했다.

1층 입관실은 통유리로 되어 있었다. 아버지는 하얀 천으로 덮인 채 반듯하게 누워 계셨다. 하얀 천 옆 사이로 햇볕에 그을린 팔다리가 얼핏얼핏 보였다. 아버진 죽어서도 씻기지 않을 만큼 손톱 발톱이 다 뒤둥그러지게 고된 일을 많이 하셨구나, 하는 생각이 들었다.

장의사는 맏상주를 불러 아버지 머리를 반듯하게 잡으라고 하였다. 그리곤 노련한 솜씨로 수의를 입히기 시작했다. 몸을 덮은 흰 천을 조금씩 올려가며 먼저 버선을 신겼다. 그리고 장갑을 끼워 드렸다. 바지를 입히고 저고리를 입힌 다음 두루마기를 입혀 드렸다. 그리곤 얼굴을 깨끗이 닦아 드린 후 상주들에게 마지막 인사를 드리라고 했다. 여섯 명의 아들들이 인사를 했다. 긴 이별 인사치고는 참 짧았다.

"아버지! 아버지! 우리 아버지! 이렇게 가시면 어떻게 해요?"

소리 없이 울고 있던 큰딸인 나만 나무 기둥처럼 딱딱해진 아버지 시신을 부둥켜안고 서럽게 울음을 토해 냈다.

장의사는 두루마기 위에 일곱 매듭을 묶었다. 아버지는 나비가 되어 날아갈 고치 모양이 되었다.

장의사는 아버지를 까만 나무 관 안에 반듯하게 눕혀 드렸다. 그리고 십자가가 그려진 빨간 천으로 관을 씌웠다.

삼일째 되는 날 아침 아버지를 하얀 영구차에 태웠다. 제일 먼저 고향집에 들렀다. 이 집은 아버지가 태어나 여든일곱 해를 사시던 집이다. 아버지가 유복자로 태어나 홀어머니를 모시고 어려서부터 가장 노릇을 하던 집이다. 평생 농사지어 아들 딸 키워 시집 장가 보내고 늙어선 영감 마누라 둘만 남아 오롯이 살던 집이었다.

　평생 지게를 지고 오가던 냇둑 길을 빈 몸으로 차를 타고 가셨다. 대쟁이 마을 입구에서 영구차가 섰다. 길이 좁아 더 이상 갈 수가 없다고 한다. 영정 사진을 머리가 희끗희끗한 큰사위가 들고 앞장을 섰다. 사진 속의 아버지가 더 젊어 보였다. 노인 대학 졸업식 때 찍은 사진이었다. 학사모를 쓰고 웃으며 먼길을 떠나시는 아버지는 사실은 서당도 신식 학교 운동장도 밟아 보지 못하셨다. 자식을 열을 낳아도 면사무소에 가서 한 번도 출생 신고도 직접 못해 보셨다 한다. 동네 이장 아저씨한테 애를 낳을 때마다 부탁을 하시곤 했다. 아버지 평생 한은 글을 모르는 거였다.

　아버지가 도착하셨다는 말을 듣고는 묏자리를 파 놓고 기다리던 동네 아저씨들이 얼른 내려와 관을 모시고 갔다.

　아버지 가묘 왼쪽에는 조부모님 묘가 합장되어 있었다. 그 묘 앞에는 흰 국화 꽃다발이 놓여 있었다.

가묘 오른편에는 커다란 천막이 쳐져 있었다. 천막 옆면엔 '우산이 마을'이라고 까만 글씨가 커다랗게 쓰여 있었다.

수박만큼 배가 많이 나온 마을 부녀회장은 얼음이 둥둥 뜬 수박화채를 커다란 고무 함지에 가득 만들어 왔다. 마을 아주머니들은 얼큰한 육개장, 동태전, 돼지머리 삶은 것, 술, 떡 등 맛있는 음식을 잔뜩 해 가지고 와 일하는 분들과 산소에 오신 손님들을 대접했다.

"아이고, 더워라."

대복 아버지가 수박화채 옆에 준비해 놓은 얼음물 통에 머리통을 넣고 흔들었다. 강아지 목욕시키면 부르르 떨듯 물을 털고 묘지로 달려갔다. 옆에 있던 사람들이 허허 웃어 댔다. 점잖으신 만수정 사장님도 얼음통에 수건을 적셔 머리에 두르고 묘지로 돌아갔다. 아저씨들이 번갈아 가며 얼음통에 수건을 펑덩 적셔 가지고 머리에 두르고 일을 했다.

윤씨 아저씨가 묘지 북쪽에 쪼그리고 앉아 훈수를 두셨다.

성미 아버지가 무덤 안을 창호지로 발라, 마치 새 집에 도배를 하듯 정성스럽게 벽지를 발랐다.

"도배 값 내세요."

"알았으니 일이나 잘해요."

무덤 안을 위에서 지켜보던 둘째오빠가 대꾸를 했다. 그리고 양복 안주머니에서 만 원짜리 몇 장을 꺼내 내려 보냈다.

무덤 벽에서 작은 흙 알갱이 몇 알이 방금 발라 놓은 하얀 창호지 위로 떨어졌다.

"저런……, 잘 좀 하라고요."

이번엔 셋째오빠가 지청구를 했다.

"아, 그렇게 잘하면 당신이 해요."

"하라면 못할 줄 알아요. 내가 평생 선소리하며 산 사람인데."

"허허허……, 정말 그러네."

"하하하……."

동네 아저씨들과 상주들은 우스갯소리를 주고받으며 일을 했다.

아저씨들이 누에고치처럼 묶은 아버지를 관에서 꺼냈다.

'아이고! 아이고!'

여동생이 곡을 하며 울기 시작했다.

"어머님은 어떻게 사시라고 아버님 혼자 가셨어요? 어머님은 어떻게 사시라고."

다섯째올케도 사설을 늘어놓으며 따라서 울었다.

여기저기서 훌쩍거리는 소리가 들렸다.

아저씨들은 아버지를 하얀 띠를 둘러 머리를 북쪽으로 반듯하게 눕혔다.

성미 아버지는 발치부터 지붕을 덮듯 나무판을 하나씩 덮어 갔다.

"자, 노잣돈 드리세요."

마지막 한 조각이 남았을 때 무덤 안에서 남은 나무판이 위로 올라왔다.

상주들은 주머니에서 부스럭거리며 만 원짜리 몇 장씩을 올려 다시 내려 보냈다.

"아저씨! 노잣돈 많이 드렸습니다. 좋은 곳으로 가세요."

성미 아버지는 정중하게 큰 절을 두 번 올렸다. 지켜보던 사람들이 모두 숙연해졌다. 한동안 정적이 흘렀다. 숨소리조차 들리지 않는 고요한 순간이었다. 성미 아버지는 마지막 뚜껑을 닫기 전 아버지 가슴에 올려 드렸던 돈을 다시 꺼내 들었다.

"아저씨, 이 돈은 제가 술 사 먹을랍니다."

"……."

"성미 애비야, 그렇게 해라."

"안 된다, 이놈아!"

돈뭉치를 들고 자문자답하는 성미 아버지 머리 위에서 누군가 돌아가신 아버지 흉내를 냈다.

"하하하, 하하하……."

"허허허, 허허허……."

숙연하던 분위기가 갑자기 흐트러지며 여기저기서 웃음이 터져 나왔다. 아버지 가시는 길이 울음 바다가 되었다 웃음 바다가 되었다 했다.

상주들은 보드라운 흙을 한 삽 씩 덮어 드렸다.

한낮이 되면서 뜨거운 햇살은 머리 위로 내리꽂히고 이마에선 땀이 비 오듯 했다. 상복 저고리 끝에선 눈물 같은 땀이 똑똑 떨어져 내렸다.

동네 아저씨들은 연신 수박화채를 마셔 가며 달궁을 했다.

황토흙을 한 차례 덮고 북소리 장단에 맞추어 달궁을 했다.

노세 노세 젊어 노세 늙어지면 못 노나니

에헤 에헤라 달고

물이라도 건수지면 놀던 고기도 아니 오고

에헤 에헤라 달고

비단옷도 떨어지면 물걸레로 돌아가고

에헤 에헤라 달고

좋은 쌀밥도 쉬어지면 수챗구멍으로 나가는데

에헤 에헤라 달고

하물며 우리 인생 늙어서 죽어지면 북망산천 가는구나

에헤 에헤라 달고

성미 아버지가 선창을 하면 동네 아저씨들이 후렴구를 부르며 원을 그리듯 시계 방향으로 돌며 달구질을 했다.

구슬픈 선소리에 맞추어 북장단이 울리고, 길게 새끼 꼬아 늘어 놓은 북 줄에 사람들이 노잣돈을 꽂았다. 아들도 딸도 사위도 꽂았다. 천막 안에 그림같이 앉아 있던 엄마도 고쟁이에서 만 원을 꺼내 손자 현호에게 가서 꽂으라고 시켰다.

"나도 동네 일 보면서 봐서 안 다우."

작은고모도 주척거리며 여비를 꽂고 와서 자랑스레 말했다.

외딴집 성미 아버지의 구성진 선소리는 계속 이어졌다.

인생이 태어날 땐 맨손으로 왔다가 맨손 쥐고 가는 것을

에헤 에헤라 달고

공자도 죽고 맹자도 죽고 누구나 한 번씩은 죽고 마는 세상

에헤 에헤라 달고

여보시오 상여꾼들 너도 죽으면 이 길 가고 나도 죽으면 이 길 간다.

에헤 에헤라 달고

이팔청춘 소년들아 백발을 보고 웃지 마라

에헤 에헤라 달고

술집에 갈 때는 친구가 있지만은 북망산천에는 나만 홀로 가네.

에헤 에헤라 달고

어떤 동갑은 백 년도 산다는데 차마 서러워 못가겠네

에헤 에헤라 달고

구성지게 선소리를 하며 북을 치던 성미 아버지가 북을 그쳤다. 달구질을 마치고 조각 이불을 덮듯이 뗏장을 한 장씩 덮어 나갔다.

"자! 자! 큰사위 쓰는 김에 더 써요."

아저씨들은 뗏장을 덮을 때마다 돈을 하나씩 꽂으라고 했다.

"준비한 거 다 냈는데 자꾸 더 내라네……."

계속 양복 주머니에서 봉투를 꺼내던 남편이 볼멘소리를 했다.

선소리하며 벌 돈을 더 내라며 옥신각신하는 사이 신기하게도 동그란 산소가 예쁘게 만들어졌다. 정월 대보름달을 반 똑 잘라 엎어 놓은 것 같은 아버지 산소 위에 하얀 나비 한 마리가 나폴거리며 날아갔다.

아버지는 꿈처럼 저세상으로 그렇게 날아가셨다.

나는 아버지가 돌아가신 지 2주가 지나 장례식에 오신 분들에게 감사 편지를 드렸다.

　아침저녁으로 선선한 바람이 붑니다.

　가을이 문 앞에 왔나 봅니다.

　찌는 듯한 날씨가 계속되던 8월 11일 오전 10시 30분. 친정 아버님이 갑자기 하느님의 부르심을 받았습니다.

　아버지는 안산시 선부동 우산이 마을에서 유복자로 태어나셔서 그곳에서 87년을 사셨습니다.

　어려서부터 홀어머니 모시고 가장 노릇을 하셨답니다.

　팔남매 키우시느라고 평생 고된 일만 하셨습니다.

　참 지혜로운 분이셨고, 부지런하셨고, 정이 많으신 분이셨습니다.

　지난여름에도 아버지는 거동이 불편하시면서도 자주 밭에 가 계셨습니다. 더운 날 왜 거기 계시냐고 하면 어린아이처럼 웃으시며 잠깐 나와 있는 거라고 하셨습니다. 수년 전 서해안 고속도로로 수용된 논이 있던 자리에도 오랫동안 앉아 계시다 오곤 하셨답니다.

　며느리, 딸도 잘 몰라 보시면서도 돌아가시던 날 아침까지 마당을 쓰셨답니다.

　하늘나라에 가서서 아버지의 아버지도 만나 뵙고 그리운 어머니 품안에서 평안히 쉬셨으면 좋겠습니다.

돌아가신 지 벌써 2주일이 다가옵니다. 아버님이 좋아하시던 것을 보면 문득 생각나고 그러다 보면 이미 이 세상 분이 아니라는 것을 다시 깨닫게 됩니다.

보드라운 카디건 스웨터 한 벌 사 드리고 싶었는데 끝내 아쉬움으로 남았습니다.

무척 더운 날씨, 연락드리기조차 송구해서 망설였습니다. 먼 거리 조문 와 주셔서 감사합니다. 정을 나누는 이웃이 있어 큰 슬픔 중에도 무사히 장례를 모실 수 있었습니다.

머리 숙여 감사드립니다. 정말 고맙습니다.

2006년 8월 25일

큰딸 꽃분 올림

아버지가 돌아가신 지 어느새 8년이 되었고 엄마는 혼자 빈집을 지키다 요양원에서 또 외롭게 하루하루를 보내고 계신다.

긴병에 효자 없다는 말이 딱 맞는 말이다.

여덟 명의 자식들이 한 달에 한 번씩만 찾아가도 그다지 사람이 그립지는 않을 텐데…….

'나 죽으면 못 본다.'

엄마의 물기어린 모습이 자꾸 떠오른다.

엄마한테 다녀온 날은 잠이 쉽게 오질 않는다.

이리 뒤척 저리 뒤척 하다 기독교 방송을 튼다.

밤새 찬송과 말씀이 나온다.

나처럼 잠 못드는 사람을 위한 방송인 것 같다.

추석에 우르르 몰려가다

추석날 아침이다.

다른 날과 별다를 것도 없는데 왠지 세상이 텅 빈 것 같다.

눈을 뜨니 6시 30분이다.

나는 망설이다가 남동생에게 전화를 걸었다.

신호 가는 소리가 들렸다.

'너무 일찍 전화를 걸었나?'

하는 생각도 들었지만 기다렸다.

"여보세요?"

남동생 목소리가 들렸다.

"부천 누난데 오늘 스케줄 어떤가 하고 …….."

"아이고, 누님! 10시에 산소에 가서 성묘하고 어머니 계신 요양원에 갑니다. 누님도 늦지 않게 내려오세요."

"그래 볼게."

전화 통화 후 동네 문방구 폐업할 때 사 놓았던 포장지를 찾았다. 그리고 얼마 전 사 놓았던 남자 양말과 여자 팬티 두 박스를 포장했다. 요양원에서 수고하시는 분들에게 드리려고. 그리고 엄마가 드실 만한 쇠고기 산적 두 장을 부치고 남편 제자가 추석 선물로 보낸 훈제 연어를 썰고 소스까지 챙겼다. 짐을 챙기고 난 후, 나이도 들었으니 품위 있게 옷을 입으라는 남편 말대로 개량 한복에 어울리는 모자까지 쓰고 집을 나섰다.

아파트 앞 정류장으로 나가니 지나가던 택시들이 설 준비를 했다. 하지만 나는 택시를 타지 않았다. 양손에 짐을 들고 20번 마을버스를 타고 부천 남부역에서 내렸다. 안산 가는 좌석버스 1번을 기다렸다. 정류장에 설치된 안내를 클릭하니 회차 대기중이란 표시만 나올 뿐 감감무소식이다.

'10시까지 늦지 않게 오라고 했는데 어찌 해야 하나?'

택시를 타자니 돈이 많이 나올 것 같고 1번 버스를 타자니 기약이 없을 것 같았다. 시흥 시청까지 가는 61번 버스를 탔다. 거기서 마을버스를 타든지 택시를 탈 요량으로 .

61번 버스는 막히지도 않고 사람도 그다지 많지 않았다.

여우고개를 넘어 신천동을 향해 달리고 있을 때였다.

"아저씨! 내릴 때가 지났는데 내려주시면 안 돼요?"

"그럼 택시 타고 다니면 돼요!"

"아이! 어떻게 해?"

아가씨가 발을 동동 구르며 애가 타는 목소리로 말했다.

정류장이 조금 지난 곳에서 버스가 섰다.

"고맙습니다."

그 아가씨는 정말 고마운 듯 인사를 하고 차에서 내렸다.

택시를 타고 다니라는 말이 자꾸 마음에서 걸리적거렸다. 버스가 빙빙 도는 것 같아 중간에 내려 택시를 탈까 하는 생각도 들었다.

자리에서 일어나 기사 옆으로 갔다.

"기사님, 말씀 좀 여쭈려고 하는데요."

"거기 자리에서 말하세요."

조심스럽게 다가간 나는 무안했다.

"저 진덕사 마을 가려고 하는데요. 어디서 내리면 빨리 갈 수 있을까요?"

"진덕사는 몰라요! 법륭사는 알아도."

기사는 무베듯 단칼에 모른다고 했다.

"아, 네! 알겠습니다."

자리에 돌아와 앉았는데 심기가 영 불편했다.

'추석날 아침부터 저렇게 손님들에게 불친절하지? 말 좀 친절하게 하면 어디 덧나나?'

여러 가지 생각이 꼬리를 물고 지나갔다.

시흥 시청 앞에서 내리는데 막 택시가 지나갔다.

'저걸 탔으면 좋았을 텐데…….'

아쉬운 마음으로 길을 건너 버스 정류장에 서서 안내판을 들여다보았다.

버스 노선 표시도 뜨지 않았다. 정류장에는 지방에서 올라온 듯한 남녀 네 명이 경상도 사투리로 16분만 기다리면 자기들이 탈 버스가 온다고 했다. 이 사람들은 시간과는 상관없다는 듯 즐겁게 이야기를 나누며 차를 기다리고 있었다.

마음은 바쁜데 택시는 보이지도 않았다.

114 안내를 받아 콜택시를 부르려고 했다. 연결이 잘 되지 않았다. 다시 전화를 하니 어떤 아저씨가 버럭 화를 냈다.

"여긴 가정집인데 왜 여기로 자꾸 전화를 걸어요!"

말이 길어지는 것 같아 전화를 중간에 끊었다.

전화 연결이 안 돼 속이 상한 데다 모르는 아저씨 화풀이

대상까지 될 필요는 없을 것 같았다.

10시 15분 전이다.

길에서 30분을 더 서 있었다.

'늦겠구나, 이러다 택시를 못 잡으면 어쩌지……. 괜히 온다고 했나? 요양원으로 바로 전철 타고 갔더라면 고생 안 했을 텐데.'

마음이 초초해졌다.

그때 택시가 달려오는 게 보였다.

택시 안에서 전화를 걸었다.

"짐이 많아서 그러는데 버스 정류장 앞으로 마중 좀 나와라."

남동생은 도착하기도 전에 버스 정류장 앞으로 마중을 나와 보따리를 양손에 들고 아버지 산소로 올라갔다.

아버지 산소 앞엔 셋째오빠가 제사상을 차리고 있다가 뜻밖에 내가 나타나자 의아한 눈빛으로 쳐다보았다.

"며느리들은 일찍 친정에 가고 애비는 시댁에 가고 나 혼자 남아서 이리로 왔어요. 여기 들렀다 엄마 뵈러 같이 가려고요."

10시가 가까워지자 아들들이 앞서거니 뒤서거니 산소에 도착했다. 넷째오빠네 손주들이 한복을 곱게 차려입고 따라

왔다.

인터넷에 제사 지내는 장면을 올리는 것이 학교 숙제라며 조카 며느리는 사진을 찍어 댔다.

이번 추석 음식은 각자 분담해서 가져오기로 했다고 했다.

바다 낚시를 가서 우럭을 잡아 왔다는 둘째오빠는 회만 떠 오고 고추장은 안 가져왔다고 해서 셋째오빠 작은아들이 도일 시장까지 가서 초고추장을 사 왔다.

먼저 할아버지 할머니 산소에 절을 했다.

교회를 안 다니는 사람은 절을 했다. 교회를 다니는 사람은 기도를 했다. 이러한 상황이면 불편한 분위기가 보통인데 아무렇지도 않게 자기 식대로 제사를 지냈다. 아이들은 세 번째로 기회가 주어졌는데 무척 좋아라 하며 절을 했다.

할아버지 할머니 제사를 먼저 드리고 바로 옆에 있는 아버지 산소로 제사상을 옮겨 왔다.

다시 세 번의 차례 순서가 반복되었다.

"너는 왜 절 안 하니?"

셋째오빠가 나에게 물었다.

"난 가끔 와서 절해, 안 해도 괜찮아."

오빠는 절을 안 하는 내가 이상해서 물었고, 나는 임기응변으로 대답을 했다.

'돌아가신 분이 와서 잡숫나? 살아 계실 때 한 번이라도 더 찾아뵙는 게 낫지.'

나는 딴 생각을 하고 있었다.

산소에는 어릴 적 눈에 넣어도 안 아프게 예뻐해 주시던 할머니가 거기 계셨고, 평생 고생만 하다 돌아가신 아버지가 그 옆에 누워 계셨다.

성묘를 마치고 둘러앉아 제사 음식을 나누어 먹었다. 그리고 술도 한 잔씩 돌아갔다.

"자, 이제 어머니 뵈러 갑시다."

남동생이 서둘러 먹던 음식들을 박스에다 꾸렸다.

"고향에 들를 사람은 들르고 안 들를 사람은 바로 요양원으로 갑니다."

큰오빠와 나만 우산이 마을에 들렀다.

고향집 마당 끝에는 다섯째오빠가 공장 건물을 짓는다고 했다. 기초 공사를 하느라고 시멘트를 부어 놓았다. 평생 가난하게 살았는데 늘그막에 힘이 펴나 싶어 참 잘됐다는 생각이 들었다.

친정집 대문은 굳게 닫혀 있고 집 안에선 개 짖는 소리만

컹컹 들려왔다.

"고향이라고 와 봐야 햇볕이 뜨거워도 어디 앉을 자리도 없다."

큰오빠가 마당가에 서서 말했다.

"지난번에 들렀을 때는 개들이 짖으며 저 냇둑까지 따라왔는데 오늘은 그렇지는 않네요."

내가 말했다.

그 냇둑에는 커다란 싸리비 모양의 미루나무가 두 그루 나란히 서 있었다.

나무 그늘엔 암소가 한 마리 누워 있고 아버지는 아침마다 꼴을 베어다 두엄을 만들던 곳이었다. 그 아래론 개울물이 흐르고 개울가에서 세수도 하고 빨래도 했는데 지금은 나무도 없고 시멘트로 포장되어 자동차가 다니는 넓은 길이 나 있었다.

집에는 들어가 볼 생각도 못하고 오빠 아들이 운전하는 자가용을 얻어 타고 요양원으로 왔다.

먼저 온 사람들은 한 상 벌리고 있었다. 엄마뿐 아니라 요양원에 계신 분들을 모두 모시고 음식 대접을 하고 있었다. 그런데 요양원에서 일하시는 사람들은 음식을 많이 드시면

탈이 난다고 못 드시게 지키고 있었다.

나는 준비해 간 산적을 몰래 꺼냈다.

간호사라는 아가씨가 냉큼 달려와 안 된다고 했다. 요양원 할머니들은 상 위에 있는 음식들이 더 먹고 싶어서 자리를 못 떠나고 앉아 있었다.

오빠들은 술을 한 잔씩 해서 그런지 눈치 없이 큰 소리로 당신들 이야기만 해 댔다.

큰오빠는 그동안 직장생활 했던 이야기를 했고 다른 오빠들은 재미있다는 듯 귀를 기울였다. 모처럼 찾아간 엄마는 딴전이었다.

엄마는 상 위에 있는 음식들을 먹고 싶어 하셨고, 아들들은 드리면 안 된다고 하며 산적을 안주 삼아 소주가 모자란다며 떠들어 댔다

"이놈의 집에선 아침이면 죽만 줘!"

꾸어다 놓은 보릿자루처럼 앉아 있던 엄마는 욕 섞인 말투로 불만을 내뱉었다. 옆자리에 있던 넷째며느리가 움찔 놀라는 표정을 지었다.

"내 손으로 관리 못하면 와야 하는데."

"똥 싸면 누가 좋다고 해요?"

"집에서 모시기 힘들지요."

"좋은 시설로 가야 할 텐데."

"그러게 자식들 주지 말아야 해요."

"그래서 자리에 돈 깔고 죽으라고 하나 봐요."

아들들은 명절 때 세배 오고, 오늘 추석이라고 온 것 같은데 자기들 이야기만 하다가 요양원 점심 먹어야 한다며 자리에서 일어섰다.

"나 배가 고파. 사탕 한 봉지 사 주고 가!"

엄마는 함께 일어서려는 나에게 말하셨다

"어머니가 사탕 드시고 싶다고 하시는데 사 드리고 가도 될까요?"

내가 묻자,

"어매, 사탕 먹다가 목에 걸리면 우리가 쇠고랑차고 끌려간단 말예요."

주방 아주머니가 안 된다고 손사래를 쳤다.

"엄마, 안 된다고 하시네. 다음에 만난 거 가지고 또 올게요. 이거 양말 맡기고 갈까?"

"아니, 나 주고 가."

엄마는 양말 봉지를 쥐고 휠체어에 앉아 계셨다.

"저 이거 엄마 드리려고 가져왔는데요."

가방에서 훈제 연어와 산적이 든 통을 주방 아주머니에게 드렸다.

"누님, 빨리 와서 타요!"

남동생이 복도에서 승강기를 잡고 있었다.

엄마한테 인사도 제대로 못하고 뛰어나왔다.

남동생네 봉고차를 얻어 타고 고잔역에서 내렸다.

"안산역에서 버스 타고 가라. 전철은 돌잖아?"

"1번 버스가 죽어도 안 와. 전철이 훨씬 나아, 여기서 세워 봐요."

"너도 늙는구나!"

내리려는데 넷째오빠가 말했다.

"그런 소리 마슈! 아직도 처녀인 줄 알고 사는데."

내리면서 하는 내 농담에 차 안은 웃음 바다가 되었다. 운전을 하던 동생댁은 엄지손가락을 치켜들었다.

'이번 달 숙제는 얼떨결에 잘 때웠네!'

전철을 타고 오는데 긴장이 풀린 탓인지 몸살 기운이 몰려왔다.

전철에서 내려 금강 사우나에 들러 한숨 푹 자고 싶었다.

사우나에 들렀다 집에 오니 텔레비전에선 추석 특집 가요 무대를 하고 있었다.

남자 아나운서가 심순덕의 '엄마는 그래도 되는 줄 알았습니다'를 감정을 잡아 낭송을 하자 방청객석 여기저기서 눈물을 닦는 모습이 보였다.

엄마는 그래도 되는 줄 알았습니다
한여름 뙤약볕을 머리에 인 채 호미를 쥐고
온종일 밭을 매도 되는 줄 알았습니다.

엄마는 그래도 되는 줄 알았습니다.
한겨울 꽁꽁 언 냇물에 맨손으로 빨래를 해도
그래서 동상 가실 날이 없어도 되는 줄 알았습니다.

난 괜찮다, 배부르다, 너희들이나 많이 먹어라
더운 밥, 맛난 찬 그렇게 자식들 다 먹이고
숭늉으로 허기를 달래도 되는 줄 알았습니다.

엄마는 그래도 되는 줄 알았습니다.

팔꿈치가 죄다 해져 이불이 소리를 내고
손톱이 깎을 수조차 없어 닳아 문드러져도 되는 줄 알았습니다.

엄마는 그래도 되는 줄 알았습니다.
술 좋아하시는 아버지가 허구헌 날 주정을 하고
철부지 자식들이 속을 썩여도 되는 줄 알았습니다.

엄마는 그래도 되는 줄 알았습니다.
돌아가신 외할머니가 보고 싶다, 보고 싶다
그것이 그냥 넋두리인 줄만 알았습니다.
어느 날 아무도 없는 집에서 외할머니 사진을 손에 들고
소리 죽여 한없이 흐느껴 우시던 엄마를 보고도
아, 그 눈물의 의미를 이 속없는 딸은 몰랐습니다.

내가 엄마가 되고, 엄마가 낡은 액자 속 사진으로만
우리 곁에 남았을 때
비로소 엄마는 그러면 안 되는 것인 줄 알았습니다.
엄마는……. 엄마는…….
그러면 안 되는 것이었습니다.

나도 뒤늦게 눈시울이 붉어져 왔다.

'가슴이 아프면 아픈 대로 그냥 사는 게 인생인가?'

고단한 하루의 피로를 풀기 위해 잠자리에 들었다.

세상 짐을 내려놓고

"**당**신 오늘 뭐하실 건가요?"

아침 식사를 준비하면서 남편에게 물었다.

"원고 정리해야 돼, 왜 ?"

"요양원 다녀오려고요."

"나도 일하다 사우나 다녀올지 몰라."

"짱구는 어쩌구요?"

강아지가 걱정되어 물었다.

"난 한 시간이면 되는데 뭐."

아침 식사 후 엄마에게 갖다 드릴 걸 챙겼다.

삼겹살을 구워 은박지에 싸고 어제 사 온 양념 치킨도 다시 포장을 했다. 창란젓도 병에 담고 남편이 선물받아 가지고 온 빵도 일하는 아주머니들 간식으로 챙겼다. 이것저것 챙기다 보니 벌써 짐이 묵직해졌다.

부천역 옷가게에 들러 가을 티셔츠를 두 개 샀다. 전철을 타고 몇 번 환승 후 요양원 앞에 가서 홍시를 한 박스 사서 들고 요양원으로 들어갔다.

엄마는 깊은 잠이 들어 있었다. 지난 달보다 더 야위신 것 같았다. 얼굴엔 검버섯도 많이 생기고 기력이 쇠하면서 정신도 왔다 갔다 하는 것 같으셨다.

누워 계신 침대 옆에서 엄마 손을 잡았다.

"엄마, 아프신 데는 없으세요?"

"없다. 아침에 약을 여섯 알 먹고 저녁엔 한 알만 먹어."

혈압약을 말씀하시는 것 같았다.

"밥 먹어야지?"

"집에서 먹고 왔어요."

"그건 아침 먹은 거지?"

"걱정 마세요."

"그래도 밥 먹어야지."

"괜찮아요."

"뭐 필요하신 건 없으세요?"

"사탕이나 한 봉지 사 줘."

"여기서 사 드리지 말래요."

"엄마, 새우젓 국물에 삼겹살 좀 드실래요?"

"잉."

아침에 구은 삼겹살을 양념 새우젓에 찍어 입에 넣어 드렸다.

잘게 썰었는데도 씹지를 못하겠다고 하셨다.

"이가 두 개밖에 없어, 이거 봐라."

엄마는 입을 크게 벌리고 남은 이를 보여 주었다.

누런 아랫니 두 개만 남고 이가 다 없었다.

새로 태어난 아기가 7~8개월이 되면 새싹처럼 쏘옥 아랫니가 나와 자라는 것은 참 신기하다. 그런데 노인이 되어 이가 다 빠지고 남은 이 두 개는 보기가 흉했다.

"적적하시죠?"

"할 수 없지, 빨리 죽었으면 좋겠다."

"그게 마음대로 안 되는 일이지요. 기도하시며 지내세요."

"기도하지, 주여, 주여, 하고!"

방구석 텔레비전에서 설교 말씀이 나왔다.

"이 방 좋네요. 말씀도 계속 나오고."

"저 권사님 자제분이 부탁하셨어요. 이 어매는 듣지도 않는 것 같애."

옆에서 주방 아줌마가 끼어 들었다.

"여기 아줌마들 하고 말벗이라도 하니까 덜 적적하시지요?"

"누구하고 말을 해? 왔다 갔다나 했으면 좋겠다."

엄마가 거동을 못하니까 움직일 수 있는 공간이 1인용 침대가 공간의 전부였다.

"엄마, 밖에 날씨가 쌀쌀해요. 봄 되면 엄마 모시고 꽃구경 갈게요."

"……."

"엄마 그동안 누가 다녀갔어요?"

"목사가 다녀갔어."

"막내아들 목사?"

"아니 젊은 목사가 있는데 가끔 와서 기도도 해주고 머리도 꾹 눌러 주고 가."

"광호는 다녀갔어?"

"안 와. 명절 때하고 추석에만 와."

나는 남동생이 다녀갔냐고 물었는데 엄마는 큰오빠 이야기를 했다.

엄마는 기력이 다 소진되신 것 같았다.

전에는 일하는 아줌마가 없을 땐 반찬도 없고, 죽 먹기도

싫고, 고기가 먹고 싶으니 몰래 싸오라는 둥 불평불만을 많이 하셨다. 그리고 아들들이 서운해 밤이면 잠이 안 온다고도 하셨다. 그런데 오늘은 아무 말도 없으시다. 모든 걸 체념하신 것 같았다.

"밤하고 연시가 좋아."

"오다가 연시 한 박스 사 왔으니까 드릴 거구요. 다음에 또 사 올게요."

"잘 가라."

엄마가 계신 방을 나오는데 요양사 아줌마가 따라나오며 말했다.

"요즘엔 자꾸 뭐가 보인다고 하세요."

"기력이 많이 떨어지신 것 같아요. 전에는 이러저러 말씀이 많으셨는데 말씀이 별로 없으시네요."

"그래도 잠숫는 건 아주 잘 잡수세요."

"네, 고맙습니다. 안녕히 계세요."

"교통이 불편해서 힘 드시죠? 전에 부천에서 오시는 분이 그러더라고요."

"그래도 지난번 계셨던 곳보단 나아요. 또 올게요."

내가 해야 할 일을 아주머니들에게 대신 맡기는 것 같아서 미안한 마음으로 요양원을 나섰다. 전철역으로 걸어오면서 김밥이라도 하나 먹을까 기웃거려도 주일은 영업을 안 한다고 써 붙여 놓았다.

가로수 길은 서서히 단풍으로 물들어 가고 있었다.

'다음에 올 땐 저 잎사귀들이 낙엽이 되어 뒹굴고 있겠지. 나는 이 길을 몇 번이나 더 걷게 될까?'

엄마가 저렇게 꺼져 가고 있는데 많은 자식들은 어찌 그리 무심할까?

많은 건 없는 거나 마찬가지라는 말을 하기도 하는데 그 말이 맞는 것 같기도 하다.

많은 자식들 중 둘째오빠네는 유독 엄마를 찾아오지 않는 것 같다.

입원해 있으면 누가 문병을 왔나 출석 체크를 하게 된다는데, 엄마도 다녀간 사람은 기억하고 안 다녀간 자식들은 서운해하시는 것 같았다.

둘째오빠는 초등학교 4학년까지 다니다 어느 날 학교가 가기 싫어서 며칠 안 갔더니 학교를 그만두게 했다고 한다. 큰오빠를 새벽밥 해 먹여 인천으로 학교를 보내는 것을 보고 편애한다고 생각하며 살았을까?

내가 어렸을 때 밥을 못 먹고 학교에 가는 날은 오빠가 십리 길을 걸어 나를 데리러 왔다. 빵을 먹고 갈래? 차를 타고 빨리 집에 갈래? 나한테 선택을 하게 했다. 아마 빵도 사 먹고 버스도 타고 갈 만큼의 돈은 없었던 모양이다.

큰오빠가 마음에 없는 결혼을 한 것도 알고 보면 둘째오빠 때문이기도 하다.

둘째오빠가 스무 살이 되던 해 이웃에 사는 여우 할머니집에 서울에서 처녀가 내려와 있었다. 그 처녀는 한국전쟁 때 부모를 잃고 여우 할머니네 딸네집에서 수양딸겸 식모살이를 한다고 했다. 집을 새로 짓는데 당분간 아이들과 함께 내려와 있는 거라고 했다.

둘째오빠는 그 집을 들락거리더니 그 아가씨와 눈이 맞았다고 했다.

어느 날 저녁 여우 할매는 서울 아가씨 손에 보따리 하나 들려 우리 집으로 데리고 왔다.

대문을 걸고 잠을 자고 있는데 사랑방 미닫이문을 통해 뒤꼍 우물을 지나 안방 쪽문을 열고 안방으로 들어왔다. 잠을 자고 있던 아버지는 얼떨결에 내복 바람으로 앉아 둘째며느리 절을 받았다. 생각지도 못한 상황에 엄마는 어처구니가 없어 깔깔 웃고 있었다.

그 일로 '굴뚝에서 불을 때게 되었다'고 큰아들 혼사를 서두르기 시작했다.

그렇게 도둑 시집을 온 고아 출신 올케는 시어머니의 온갖 구박을 견디며 시동생 시누이를 줄줄이 거느리고 고된 시집살이를 했다.

남편이 군대 가 있는 동안엔 때때로 남편을 그리워하기도 하고 때로는 원망을 하기도 했다. 못 견디게 힘이 들 때는 죄 없는 어린 것을 뒤꼍으로 끌고 가 분이 풀릴 때까지 두들겨 패기도 했다.

모두가 잠든 밤이면 사랑채에 딸린 툇마루에 누워 밤하늘을 보며 돌아가신 친정 엄마를 그리워하기도 했다.

"풀들은 봄이 오면 다시 돋아나는데 돌아가신 우리 엄마는 왜 못 돌아오시나?"

혼잣말을 하면서 눈물을 짓기도 했다.

나는 올케 언니를 좋아했다. 언니가 실수로 그릇을 깨거나 화로 인두를 분질렀을 때도 내가 그런 거라고 해서 언니 대신 엄마한테 혼이 나기도 했다.

제대할 때까지 살아 있기나 할까 싶다던 딸도 잘 자랐고, 군대에 있는 동안 아들 낳았다는 소식 듣고 편지 봉투 안에 노란 고무줄 기저귀 끈 사서 보냈던, 그 아들도 잘 자랐다. 그러나 군에 있을 때 산만은 팔아선 안 된다고 여러 번 편지를 했건만 제대하고 와 보니 산은 이미 헐값에 팔려 큰아들네로 올라가고 없었다.

산이 많아 마을 이름도 넉넉할 우優 자를 썼다는 우산이 마을에 남은 산은 모두 강씨네 산이었다. 남의 산에서 땔나무를 하다가 받을 세도가 싫어 둘째오빠는 고향 마을을 떠나기로 마음먹었다.

우마차에 이불 보따리와 옷가지 몇 벌, 그리고 솥단지 하나 달랑 싣고 고향집에서 시오리 떨어진 물왕 저수지가 있는 마을에 새 둥지를 틀었다.

아버지는 둘째가 세간을 나겠다고 하자 품팔아 장만한 논 시니 마지기 팔아 이발소를 하나 사 주었다.

이용을 하는 친구에게 어깨너머로 배운 기술을 가지고 군대에서 이발병 노릇을 하다가 이발소를 차려 운영하게 되었다. 머리를 깎아 주고 그 삯으로 보리가 날 때는 보리쌀 한 말, 벼추수를 할 때는 쌀 한 말을 받았다.

어려서부터 부잣집 식모살이로 요리를 배운 둘째올케는 저수지 낚시꾼들에게 돈을 받고 밥을 해주고 돈이 모이면 젖소를 한 마리씩 늘려 갔다.

지금은 맛집으로 유명한 식당 사장이 되었다. 돈이 너무 많아 있는 돈 다 못쓰고 죽을까 봐 걱정이라는 말도 들리고, 보리밥집으로 시작한 식당 '고향집'이 얼마나 잘 되는지 밤새 돈을 세도 못 다 센다고도 하는데 왜 엄마는 찾아오지 않는 걸까?

남들은 나보고 오빠가 부자여서 좋겠다고 하는 사람도 있다. 나는 한 번도 오빠네 가서 공짜로 밥을 먹어 본 적도 없고 다른 무엇을 바란 적도 없다.

한 가지 궁금한 건 엄마가 요양원에 몇 년을 계신데 한 번도 찾아오질 않는다는 거다.

그러나 물어보진 않았다.

이런저런 생각을 하며 집으로 돌아오는 길, 힘도 들고 배도 고팠다. 집 근처에 있는 춘천 막국수 생각이 났다. 남편에게 전화를 해도 받지 않았다. 집에 오니 남편은 짱구와 함께 열린 음악회를 보고 있다.

한파가 몰아치다

때 이른 한파가 몰아쳤다.

찬바람이 옷 속을 파고들어 왔다.

날씨가 추워지자 요양원에 계신 엄마는 춥지 않으실까 걱정이 되었다.

지난 달에는 집수리에 김장까지 한 탓에 몸살이 나서 엄마를 찾아뵙지 못했다.

목욕이라도 다녀오면 감기가 떨어질까 싶어 사우나를 가다보니 BYC 매장이 보였다.

그곳으로 들어가 엄마가 따뜻하게 입으실 만한 옷을 찾아보았다.

폭닥한 분홍 수면복이 걸려 있었다.

그것을 사 가지고 왔던 길을 되돌아 우체국으로 갔다.

수면복을 포장하고 우체국 데스크에서 편지를 썼다.

엄마!

날씨가 많이 추워졌어요.

따뜻하게 입으시라고 수면복 사서 우편으로 보냅니다.

곧 찾아뵙겠습니다.

평안히 지내세요.

2014년 12월 0일

큰딸 올림

따뜻한 옷을 한 벌 부치고 나니 걱정되던 마음이 조금은 덜해졌다. 시간이 지나면서 마른 나뭇가지처럼 야위어 가는 엄마를 생각하면 마음이 아프다. 그런데 아무것도 해 드릴 게 없다.

그냥 한 번씩 가서 뵙고 오는 것이 전부다.

또 한 해가 저물어 간다.

엄마는 새해가 되면 91세가 된다.

어느 날 엄마는 내게 물으셨다.

"애, 내 나이가 몇이냐?"

"아흔이요."

"아이구! 백 살이구나!"

엄마는 아흔과 백을 구별하지 못하시는 건지 아니면 본인이 나이를 많이 먹어 백 살같이 느껴졌는지는 잘 알 수가 없다.

세월은 참 빨리도 달려간다.

서부 지역 아동 센터에서 아이들과 함께 모여 앉아 책을 읽는데 전화벨이 울렸다.

다섯째오빠였다.

"어떻게 전화를 빨리 받아, 집이야?"

"밖에 나와 있지."

"별일 없지?"

"맨날 그렇지."

"아무 일 없는 게 좋은 거지."

"집 짓는다더니?"

"다 돼 가."

"고생하시네, 힘든 일인데."

"머리 세는 일이지. 한 번 내려 와"

"추위 좀 지나면."

"엄마한테 들렀더니 고기도 먹고 싶고 사람이 그립다고 하셔."

"한 번 내려가야지."

"연락하고 와'"

"그럴게."

전화를 끊고 나니 지난번 갔을 때 엄마 모습이 떠올랐다.

"좀 돌아다니고 싶어."

엄마가 옮기신 방이 4인실 침대 방이었는데 모두 중증 환자들이었다.

세 분은 일어나지도 못하고 침대에 누워 지냈다. 밥도 못 먹고 죽만 드시고 있으면서 꼼짝을 못해 물도 죽도 먹여 드렸다. 기저귀도 누우신 채 갈아 드리는데도 아무런 반응도 보이질 않았다. 자신의 몸을 남에게 내맡길 때도 부끄러움도 다 넘어선 상태인 것 같았다. 그 중에 엄마가 제일 나으신 편이었다.

'이야기라도 나눌 수 있는 방으로 옮겨 주면 좋으련만.'

생각일 뿐 이래라저래라 참견하는 것 같아서 마음속으로만 생각할 뿐 아무 말도 못했다

"사탕 한 봉지만 사 주고 가."

엄마가 부탁을 하셨다.

그런데 요양원에서는 사 드리지 말라고 한다.

엄마는 내 가방 안에 뭐가 들었는지 궁금해하셨다.

가방을 열어 보여 드렸다. 가방 안에는 초콜릿 두 개가 들어 있었다.

한 개는 까서 입 안에 넣어 드리고 나머지 하나는 손에 쥐어 드렸다.

엄마는 그 남은 한 개를 휴지통 속에 몰래 감추었다.

'사탕 한 알을 먹고 싶을 때 못 먹고 지내시다니.'

엄마의 그 모습이 자꾸 걸렸다.

어머니!

날씨 푹한 것도 가난한 사람들에게는 큰 부조라는데

금년에 한파가 일찍 찾아왔습니다.

저는 감기 몸살로 몇 주째 아픈데 쉬지도 못하고 아이들 수업을 하러 왔어요.

다섯 시간씩 수업을 하고 받는 돈이 한 달에 88만원입니다.

그것으로 우리 식구들이 살아가고 있습니다.

나는 이면지에다 낙서를 끄적거렸다

오빠 전화를 받고 난 후 엄마 생각이 자꾸 났다.

그리고 일을 그만두고 싶어도 그만둘 수 없는 내가 불쌍하기도 했다. 남편은 글만 쓰는데 돈은 안된다.

많이 웃으서요

며칠 전 다섯째오빠와 전화 통화를 했을 때 엄마가 고기도 먹고 싶고 사람도 그리워하신다던 생각이 났다.

농협에서 직거래하는 횡성 한우를 사서 불고기를 만들어 도시락을 쌌다.

요양원에 도착하니 저녁 식사를 하고 계셨다.

엄마는 처음엔 나를 못 알아보는 것 같았다.

"태호 에미예요."

가지고 산 도시락을 풀었다.

식탁 위에는 반찬 한 가지도 없었다.

지금까지 살아오면서 반찬 한 가지 놓지 않고 먹는 식탁은 처음 보았다.

엄마는 호박을 넣고 끓였다는 죽 같은 것을 잡수시면서 연신 식은땀을 흘리고 계셨다.

죽 드실 기운도 딸리시는 것 같았다.

아휴! 아휴! 몇 번 하시며 죽 한 그릇을 다 비우셨다.

주방 아줌마 허락을 받고 불고기를 어르신들 죽그릇 위에 몇 점씩 돌아가며 올려 드렸다. 죽을 다 드시고 난 후 가지고 간 사과를 티스푼으로 갈아 입에 넣어 드렸다.

요양사 아줌마는 요즘은 계속 잠만 주무시려고 한다고 했다.

'저승잠을 주무시는 걸까?'

아들들이 원망스러워 그렇게 잠이 안 온다고 하시더니, 이렇고 저렇고 통 말도 없으셨다.

사탕 한 봉지만 사 달라고도 고기가 먹고 싶다고도 안 하셨다.

간호사라는 젊은 처녀가 먹을 것 드리면 탈난다고 참견을 했다.

사 가지고 간 사과 박스 덕인가 일하는 아줌마들이 친절하게 군다.

어르신을 잘 모신다고 소문난 요양원 원장은 주말에 가도 없고 평일에 가도 코빼기도 볼 수가 없었다.

꼽추 남자분과 주방 아줌마 요양사만 있었다.

돌아오는 길 인사를 하려고 주방에 들렀더니 요양사와 주방 아줌마는 문을 잠그고 있다가 열고 나왔다.

'잘 가라. 밥 먹어야지.'

엄마는 나에게 밥 먹어야지를 열 번도 더 하시곤 침대에 누우셨다.

이제는 세상 일에 관심이 없는 듯 보였다 .

"내가 누군지 알아보시기는 한 건가?"

"큰 딸이지."

엄마는 단박 말씀하셨다.

"막내딸이 오지를 않아."

"이제 곧 올 거예요."

나는 엄마를 실망시키고 싶지 않아 곧 올 거라고 했다.

아들만 다섯을 키우다 내가 태어나자 할머니, 아버지, 식구들은 사랑을 내게 주어, 나는 온 사랑을 한몸에 받고 어린 시절을 보냈다. 뒤늦게 여동생이 태어나고선 고명딸 자리를 내려놓게 되었다.

내리사랑이라고 가족들은 새 아기한테 눈길이 더 많이 갔다.

여자는 일을 잘 배워 시집 가는 게 최고라는 아버지의 지론에 따라 나는 남들 다가는 중학교도 보내 주지 않고 집안일을 도우라고 하셨다.

나는 결혼 후 때늦은 공부를 하느라고 힘들었지만 여동생은 180도 달랐다.

어쩌다 친정엘 가면 엄마는 바쁜 와중에도 동생에게 김밥 도시락 싸서 서둘러 학교를 보냈다. 같은 엄마가 저렇게 다를 수가 있을까 하는 생각에 내심 놀라기도 했다.

엄마를 껌딱지처럼 붙어 다니던 동생은 초등학교에 들어가선 외딴집 지만이와 손을 잡고 학교를 다녔다. 아이들이 신랑 각시라고 놀리기도 했다.

고등학교를 다닐 때 윗집 남학생한테 노트 선물이 오고 가더니 가끔 산사 오솔길에서 소곤거리기 시작했다. 동네 사람들의 수군거림과 부모님의 반대에도 기어코 윗집 총각한테 시집을 갔다. 고생스럽게 시작한 결혼 생활이지만 하던 사업이 잘 돼 '이렇게 돈을 잘 벌 수가 없다'며 까만 외제차를 타고 다녔다. 그 차는 기름이 많이 들어서 차 바퀴에다 천 원짜리를 죽 깔아 놓고 굴러다니는 거나 마찬가지라고 했다.

아버지 생신 때는 손가락이 무거워 보일 만큼 굵은 금반지도 해 드리고 지갑에서 돈도 듬뿍 꺼내 용돈도 드렸다. 표는 안 냈지만 평생 자가용도 없이 사는 나는 버스를 타고 친정

엘 갈 때마다 기가 죽었다.

거기다 동생은 엄마 마음에 딱 들게 살림을 잘했다. 그래서 엄마의 자랑거리가 되었다. 아버지가 돌아가시고 엄마가 혼자 지내실 때도 자주 찾아와 좋아하는 콩죽도 쑤어 드리고 청소며 목욕까지 깨끗하게 해 드렸다.

그런데 사업이 부도가 나는 바람에 제부는 중국으로 날아가 버렸다.

원치 않은 이혼을 하게 되고 빚쟁이들한테 시달림을 받게 되면서 친정에 오는 것도 뜸해졌다. 그래도 신앙 생활만은 열심히 하는 것 같았다. 교회일이라면 발 벗고 나섰다.

엄마는 열 손가락 중 두 손가락은 일찍이 가슴에 묻고 더 아픈 두 손가락 큰아들과 막내딸을 더 기다리는데 오지를 않는다.

나는 천천히 중앙역을 향해 걸었다.

중앙역 앞 포장마차에 들러 떡볶이 일인분을 시켜 먹었다. 그리고 야채 튀김도 두 개 추가로 시켰다. 요양원으로 엄마를 뵈러 왔다가 요기를 하고 오기는 처음이다.

엄마는 이 세상 짐을 내려놓으신 듯 보였고 그것을 알게 된

나는 마음이 이상하게 편안해졌다.

버스와 전철을 다섯 번 갈아타고 갔다가 다섯 번을 또 갈아타고 다시 집으로 돌아왔다.

'이 길을 몇 번이나 더 가게 될까?'

곧 그만 가게 될 것 같은 생각이 점점 굳어 갔다.

엄마의 장례식

"누나, 엄마가 한 시간 전에 돌아가셨어."

2015년 1월 10일 13시 30분, 남동생한테 전화가 왔다.

나는 그때 남편과 기차를 타고 부산엘 가고 있었다.

'어찌해야 하나.'

되돌아가기엔 이미 늦었다.

돌아간들 엄마가 살아오실 리도 없고 살아오셔도 환영받지도 못한다.

천국에 가신 엄마도 내가 모처럼의 일정을 포기하고 엄마에게 돌아오기를 바라시진 않을 것이다.

'아무에게도 말하지 말자.'

남편이 왜 전화가 자주 오느냐고 물었다.

엄마가 많이 안 좋으신 것 같다. 올라가는 대로 장례를 치

뭐야 될 것 같다고만 했다.

심장이 약한 남편 안색이 변했다.

나는 지난번 갔을 때 엄마가 곧 돌아가실 걸 알았는데 남편은 큰 충격으로 오는 것 같았다. 사실대로 말하면 심장 쇼크가 올지도 모른다는 생각이 들었다. 될 수 있는대로 침착하려 마음을 다독였다.

돌아오는 길 기차 안에서 화장실 가는 척하고 뒤쪽 빈 좌석에 가서 남편 몰래 문자를 했다.

둘째시누이와 문학회 총무한테. 그것이 엄마의 죽음을 알리는 달랑 문자 두 개였다.

'어제 친정 어머님이 천국에 가셨습니다.'

내가 장례식장에 도착했을 땐 사람들이 북적거렸다. 오빠, 올케, 조카들 그리고 친척, 동네분들, 평소에는 만날 수 없던 사람들이 한 장소에 다 모여 있었다.

반갑지도 그렇다고 별로 미안하지도 않았다.

조문을 받고 있는 오빠들 모습이 조금은 낯설었다.

엄마한테 그렇게 무관심하더니 돌아가시니까 다들 몰려온

건가, 하는 생각도 들었지만 아무 말도 안 했다.

두 개의 문자만 보냈는데 시누이들이랑 문우들이 조문을 왔다.

5시에 입관 예배를 드렸다.

남동생 친구인 목사님이 예배를 인도했다.

예배실 앞에 엄마의 관이 놓여 있었다.

〈며칠 후 며칠 후 요단강 건너가 만나리〉 찬송을 시작할 때였다.

목이 꽉 메고 눈물이 흐르기 시작했다. 찬송은 한 소절도 부를 수가 없었다. 나는 예배가 끝날 때까지 흐느끼며 울었다. 옆자리에서 작은아들이 손수건을 건네주었다

눈물이 어디서 그렇게 나오는지 알 수 없었다.

엄마는 자식들을 보고 싶어 하시다 요양원에서 혼자서 돌아가셨다.

그게 미안하고 또 미안했다.

마지막 순서로 엄마의 남동생인 이학수 장로님이 고인의 약력을 말씀하셨다.

고인이 된 이학금 집사님은 1925년 윤사월 13일에 아버지 이명호 씨와 어머니 임우순 씨 십이남매 중 여섯 번째로 태어나셨습니다. 위로 아들 하나는 두세 살 때 호환으로 세상을 떠났고, 저에겐 두 번째 누님이 되시는 분이십니다.

누님은 어머님 배 안에 있을 때부터 신앙생활을 하셨습니다.

아버님께서 어렸을 때 돌아가셨습니다.

누님과 저는 일곱 살 차이가 납니다. 그러니까 누님이 열세살 때이고, 제가 여섯살 때 아버님이 돌아가셨습니다.

아버지가 돌아가시자 어머님 혼자 남은 자식들을 키우시기가 힘드시니까 일찍 출가를 시켰습니다.

누님은 결혼해 홀시어머니를 모시며 팔남매를 낳아 잘 양육을 하셨습니다. 아들 육형제와 딸 자매를 잘 키우셨습니다.

야속하게도 남편 김만호 씨가 돌아가시면서 호젓한 생활을 하시게 되었습니다.

장남은 큰댁에 아들이 없으심을 안타깝게 여기셔서 일찍 수양아들로 호적을 옮겨 놓으셨습니다. 둘째가 장남이 되었는데 장사한다고 바빠 혼자서 집을 지키시고 지내셨습니다. 목회를 하는 막내아들이 자주 다니며 돌봐 드렸지만 제대로 관리를 못해 드렸습니다.

건강까지 안 좋으셔서 요실금이 심해 혼자 빨래를 하는 걸 보면 참 안타까웠습니다. 그러다 요양원 생활을 하시게 되면서 손자 손녀 재롱을 보며 함께 살아야 하는 건데 혼자 외롭게 지내셨지요.

지금은 하나님의 부르심을 받으셔서 하나님 우편에서 안식을 누리며 영면을 하시게 되셨습니다.

오후 5시에 입관 예배를 드렸는데 밤 9시에 발인 예배를 드린다고 했다.

법이 바뀌어서 요즘은 나라에서 매장을 못하게 한다고 했다.

그래서 아침 일찍 장례를 치러야 한다고 했다.

아침 7시에 장례식장을 출발해서 사시던 집에 잠시 들렀다가 아버지 옆에 합장을 할 거라고 했다. 공무원들이 보면 곤란해진다고 했다. 들키면 매장을 했다가도 다시 파내야 한다고 했다. 내 땅에 산소를 쓰는데 그것도 안 된다고 했다. 그것도 대대로 내려오는 선산에다 쓰는데도 말이다

포크레인이 미리 와서 반듯하게 파 놓은 산소 안에 창호지를 바르고 난 후 탈관을 했다. 수의에 꽁꽁 싼 엄마를 서둘러 안에 모시고 뚜껑을 닫았다. 고운 흙으로 이불을 덮어 드리듯 상주들이 한 삽씩 떠서 흙을 덮으며 국화잎을 뿌렸다.

그런데 누구 하나 슬피 우는 사람도 없었다.

"이런 때 우는 건데, 우는 사람이 없네?"

큰오빠가 혼잣말처럼 작은 소리로 말했다.

엄마 모시는 것을 담담히 지켜보던 나는 대답도 안 하고 잠자코 있었다.

"사람들 눈에 띄면 좋지 않으니까 어서들 내려가요."

마을 어르신이신 윤씨 아저씨가 상주들도 산소 근처에 얼씬도 하지 말라고. 했다.

날씨도 춥고 눈에 띄면 안 좋다고 하니까 차 안으로 들어갔다. 그곳에서 기다렸다가 산소가 다 되면 절을 해야 한다고 했다.

차 안에서 그냥 기다리기가 지루하고 힘들 것 같아 부근이나 한 바퀴 돌다 올까 하다가 오이도가 생각이 났다.

오이도 바다는 뿌옇게 흐려 있었다.

아침 대신으로 롯데리아에 들러 우유를 한 잔 마시고 산소에 다시 돌아오니 거의 다 만들어졌다고 했다. 도둑 장례를 치루 듯 엄마를 아버지 묘소에다 합장을 했다. 새로 만든 산소 앞에서 절을 했다. 상주들은 남아서 추어탕을 먹는다고 했다. 남편이 몸이 안 좋다는 이유로 그곳을 빠져나왔다. 솔

직히 남아 있고 싶은 마음도 없었다. 돌아오는 길 엄마가 그렇게 가고 싶어 하시던 친정집을 잠시 돌아보고 집으로 돌아왔다.

삼우제 날이다.

아침부터 전화 벨이 울렸다.

목사 동생이었다. 첫 성묘 예배 드릴 건데 기도를 준비하라고 했다.

기도 대신 어머니께 드리는 편지를 읽겠다고 했다.

엄마가 어떻게 지내시다 가셨는지 아들들이 조금이나마 알아야 될 것 같았다. 그래서 나는 어제 아침 쓴 편지를 다시 읽어 본 다음 형제들 수대로 프린트를 해서 여러 장을 뽑았다.

콜택시를 불러 산소까지 가기로 했다. 아들 결혼식 갈 때를 빼고 먼 거리를 택시를 타고 가긴 처음이다.

11시에 도착하니 큰오빠랑 막내 남동생이 와 있었다. 11시에 예배를 드린다고 했는데 30분이 지난 후에야 다 모였다. 그래야 아들 넷과 딸 둘, 다섯째며느리, 일곱 명이 전부였다. 장례식장에서 북적대던 사람들은 다 어디로 갔는지 모르겠

다. 일곱 명 모인 사람 중 예배를 드리자는 사람들과 제사를
드리자는 사람이 갈렸다. 예배를 드리고 싶은 사람은 먼저
드리고 제사는 나중에 드리자고 했다.

예배 순서도 간단했다. 앉지도 않고 서서 대충 드렸다. 설
교가 끝나고 편지 읽는 시간이 되었다.

하늘나라에 가신 어머님께

어머니!

2015년 1월 1일(음 11월 11일)은 제가 어머님 몸을 빌려 이 세상에 온
지 꼭 60년이 되는 날이었습니다.

1월 2일 금요일, 60년 전 저를 낳기 위해 산고를 치루셨을 어머니를
생각하며 어머니를 뵈러 갔습니다.

다섯 번의 환승 후 도착했을 때는, 어머니는 세상에서 가장 초라한
저녁 식사 중이셨습니다.

호박을 갈아 만들었다는, 대접 안의 음식물은 보도 듣도 못한 푸른
빛깔을 띤 것이었습니다. 대여섯 분이 둘러앉은 식탁 위에 반찬이라곤
간장 종지 한 개 놓여 있지 않은 걸 보고 저는 충격을 받았습니다.

저는 그 식탁에서 저녁을 잡수시는 모습을 지켜보다 집에서 떠나기

전에 볶은 한우 불고기를 어르신들 식기 안에 골고루 올려 드렸습니다.

그것이 지상에서 마지막 대접이 되리라곤 생각도 못했습니다.

다른 어르신들은 맛있게 드셨지만 엄마는 식은땀을 뻘뻘 흘리시며 간신히 몇 점 힘겹게 드셨습니다.

식사 후 제가 쓴 두 번째 장편동화 『짱구 활활』을 보여 드렸더니 엄마는 짱구 사진을 보고 갑자기 크게 웃으셨습니다. 저는 그 웃음 속의 의미를 읽을 수 있었습니다. 엄마는 세상 짐을 다 내려놓으신 듯 어린아이같이 웃으셨습니다.

"엄마, 이게 제가 쓴 책인데 틈틈이 읽으실래요?"

"그래."

사실 엄마는 글도 잘 못 읽으시면서 딸이 썼다고 하니까 그냥 좋으셨던 모양입니다.

엄마는 몸도 마음도 다 비우시고 하늘나라 가실 준비가 되신 듯 했습니다.

힘겨운 목소리로 "밥 먹어야지?"를 여러 번 하셨습니다.

당신은 반찬 하나 없는 밥도 죽도 아닌 것을 드시곤 어쩌다 한 번 찾아간 딸이 배고플까 봐 '밥 먹어야지'를 열 번도 더 하시곤 힘에 겨워 누우셨습니다.

그때 어머니 마지막 잡은 손은 온기도 없고 색깔은 보랏빛이 돌았습니다.

그 손을 잡고 나는 말했습니다.

"내가 누군지나 아시는지 몰라?"

"큰딸이지."

엄마는 단박 대답을 하셨습니다.

그렇게도 풍채가 좋으셨던 분이 어린 아기처럼 가벼워지신 건 잡숫고 싶은 걸 잡숫지 못한 거라는 생각에 가슴이 아팠습니다.

원하지 않는 요양원에 계시면서 그렇게 가시고 싶어 하시던 집, 70년을 살던 집에 한 번도 다녀가시지 못하고 먼길을 가셨습니다.

"누가 제일 보고 싶으세요?"

"다 보고 싶지."

엄마는 자식들을 다 보고 싶어 하셨는데 팔남매 자식은 어머니를 자주 찾아뵙지 못했습니다.

누군가 한 부모는 열 자식을 품에 안아도 열 자식은 한 부모를 못 안는다는 말을 하데요. 그 말이 맞는 것 같습니다.

어머니!

이제는 세상 짐 다 내려놓으시고 하늘나라에선 아버지 만나 행복하게 사세요.

자식도 많이 낳지 마시고 일도 많이 하지 마세요. 그냥 즐겁게만 사세요.

부뚜막에서 누룽지 긁어, 남은 반찬에 말아 개밥 같은 식사는 하지 마시고 잡숫고 싶었던 고기도 많이 드세요.

엄마!

외롭게 해 드리고 배고프게 해 드리고 집에 모시지 못해서 정말 죄송해요. 그래도 마지막 가시는 길 새로 사 드린 분홍빛 고운 옷 입고 가셨다는 말 전해 듣고 눈곱만큼 위로를 받았습니다.

'그래도 나는 한 달에 한 번은 예쁜 옷 사들고, 맛있는 것도 싸가지고 가 엄마 얘기를 들어 드렸어.'

아무리 핑계를 대도 나는 죄인이고 용서받지 못할 불효자입니다.

어머니, 근심 걱정 없는 하늘나라에서 영원한 안식을 누리십시오.

2015년 1월 14일

삼우제 날 아침 큰 딸 올림

나는 목이 메긴 했지만 침착하게 잘 읽었다.

예배를 마치고 부모님을 합장한 산소에 가서 큰절을 올렸다.

"나는 엄마한테 절하고 갈랍니다."

두 번 절을 하고 일어서며

"또 올게요"

라고 하자,

"자주 와야지."

뒤에서 누군가 웃으며 말하는 소리가 들렸다.

절을 하고 일어서던 나는 그 자리에 주저앉아 버렸다. 그리곤 목 놓아 울기 시작했다. 태어나 처음으로 온 산이 떠나갈 듯 서럽게 울었다. 이렇게 울다 간 죽을 수도 있겠구나 하는 생각이 들었다.

엄마한테 미안했다.

그냥 다 미안했다.

엄마가 있는 곳이 집이다

엄마가 천국에 가신 지 일년이 지났다.

그리고 새봄이 왔다. 따뜻한 봄바람이 스쳐간 곳마다 꽃들은 피어난다.

엄마는 이 세상에 오셔서 아흔 번의 새봄을 맞으시고 본향으로 돌아가셨다

일년이란 시간이 참 오랜 세월이 흐른 것 같기도 하고 엊그제 일 같기도 하다.

그동안 나도 나이를 한 살 더 먹었다. 나이가 들어 좋은 것이 있다면 이해 못할 일도 없고, 큰일날 일도 없다는 것이다.

엄마가 돌아가신 후 오랫동안 몸도 마음도 아팠다. 마음이 아프니까 몸도 따라 아픈 것 같기도 했다. 누군가 아프면서

성숙한다고 했던가.

엄마에게 소원한 것 같아 말은 안 해도 속으로 서운해하던 오빠들이 조금은 이해가 갔다.

차라리 목 놓아 울기라도 할 수 있는 나는 덜 아픈 건지도 모른다.

보이는 것이 전부는 아니듯, 울지도 못하는 오빠들 마음은 더 아플지도 모른다.

100세 장수 시대, 그리고 모두가 일을 해야 먹고 살 수 있는 세상이 오면서 어쩔 수 없는 현실이기도 한 것 같다.

엄마가 열여섯 살에 낳았다는 큰오빠는 칠순을 훨씬 넘긴 나이였고, 다른 오빠들도 두 살 터울이니 머지않아 요양원 신세를 질 나이가 되어 가고 있다.

오래전 누구에겐가 들은 짧은 이야기가 생각난다.

어떤 부부에게 귀하게 얻은 아이가 하나 있었다. 어느 날 아이가 병이 들어 죽었다. 어미는 슬픔에 잠겨서 날마다 울었다. 그런데 아비는 별로 슬프지도 않은지 무심해 보였다. 그래서 어미는 당신은 하나밖에 없는 자식이 죽었는데 슬프지도 않느냐고 소리를 질렀다.

그날 밤 아비는 요강에다 피를 한가득 쏟아 놓고 죽었더란다.

큰외삼촌은 엄마 장례식장에서 당신 막내아들 죽음에 대해서 길게 이야기하셨다.

지난해 막내아들이 암으로 죽었는데, 그 충격으로 외숙모가 사람도 몰라보고 가스불도 수돗물도 틀어 놓고 잊어버린다고 했다. 그래서 혼자 둘 수가 없어 장례식을 못 보고 가신다고 했다.

장례식 때 남동생 친구 목사가 설교 중에 감사의 조건을 여러 가지 이야기했다. 그 중 기억에 남는 말 한 가지가 '자식을 하나도 앞세우지 않은 것도 감사하다'고 했다.

팔남매 중 이렇다 할 효자 자식도 없지만 먼저 죽어서 불효를 저지른 자식이 없는 것만으로도 엄마는 고마워하시지 않을까? 자식이 먼저 죽는 고통이 이 세상에서 제일 크다고 하는데……. 건강하게 살아 줘서 고맙고 큰 걱정 안 시키고 잘 살아서 고맙다고 하실 것 같다.

화장실에서 세수를 하다 거울을 보면 거기에 엄마가 있다.

엄마가 젊었을 땐 고추장, 된장, 간장, 고춧가루 같은 것이 필요할 때 친정에 가서 부모님이 땀 흘려 가꾸신 것들을 내

것인 양 마음껏 가져왔다. 때로는 아이들을 둘씩 데리고 가서 며칠씩 묵어 오기도 했다. 지금 생각하면 늙으신 엄마는 얼마나 힘이 드셨을까? 참 철이 없었다는 생각이 든다.

세월 따라 엄마는 점점 허리가 굽어지고 거동도 어려워지셨다. 나는 부모님을 생각해 입에 맞는 반찬거리를 사다 드리곤 했다. 요양원에 계실 땐 철따라 옷을 챙겨 드리고 잡숫고 싶다는 것도 만들어다 드렸다. 그때는 그것이 효도라고 생각했다.

그런데 엄마에게 한 것은 내가 엄마에게 받은 것에 비하면 백분의 일도 아니 만분의 일도 안 된다는 것을 뒤늦게 깨달았다.

요즘 지역 아동 센터 학생들과 이청준 소설 『눈길』을 읽고 있다. 거기에 나오는 노인의 아들처럼 나는 엄마에게 별로 빚진 게 없다고 생각했다. 엄마는 나에게 해준 건 별로 없지만 내가 자식 된 도리를 나름대로 잘 하고 있는 거라고 속으로 생각하기도 했다.

그런데 그게 아니었다. 엄마에게 나는 큰 빚덩어리였던 것이다. 다른 것 다 그만두고라도 요양원으로 엄마를 찾아갔을 때 엄마는 늘 '밥 먹어야지'라는 말을 여러 번 하셨다. 당신 때문에 제 때 밥을 못 먹는 딸이 늘 마음에 걸리셨던 것이다.

자식이 부모 마음을 알려면 부모가 되어 봐야 한다는데 내가 엄마의 자리에 앉게 되자 엄마는 없다. 엄마가 돌아가시니 챙겨 드릴 일도 없고 명절이 되어도 갈 곳도 없어졌다.

그냥 아쉬움이 남고 가슴이 아플 뿐이다.

그러다 깨달았다.

'이제는 내가 엄마다.'

나는 아들 둘을 열 달 동안 배 안에 품었다 낳고 밤잠 못 자며 키웠다. 자식 일이라면 물불 가리지 않고 힘에 겹도록 뒷받침해 주려 했다.

전 생애 빚쟁이가 자식으로 태어난다고 하는데 그 말이 맞는 것 같다.

자식에게는 있는 것 다해 주고도 늘 미안하다. 그런데 그 자식이 또 애비 노릇을 하는 걸 보면 안쓰럽다. 자기 자식들에게 몸종처럼 따라다니며 그들의 요구를 들어준다.

내 자식 키울 때는 잘 몰랐는데 손녀딸을 봐도 또 짠하다.

어쩌다 전화를 해 "할미!" 하면 가슴이 저리다.

그게 핏줄인가 보다.

이제는 엄마에게 진 빚을 나는 아들과 손녀들에게 돌려주어야 할 것 같다.

집 떠난 자식들이 세상에서 힘들 게 살다 찾아오면 쉬어가는 집이어야 한다.

엄마가 있는 곳이 집이었다. 이제 엄마를 대신해 내가 그 집이어야 한다.

나는 엄마이니까.

에필로그

할머니가 쓰신 글을 읽다 보니 나도 모르게 눈물이 나왔다.

언제나 웃으시며 반겨 주시던 할머니에게 이런 아픔이 있는 줄은 생각도 못했다.

갑자기 할머니가 보고 싶어졌다.

"아빠, 할머니한테 가자."

"여기가 할머니 집이잖아?"

거실에 누워 텔레비전을 보던 아빠가 말했다.

"할머니 계신 요양원 가자고?"

"할머닌 거기서도 바쁘셔. 거기 할머니들에게 책 읽어 드리고. 어린이 성경 이야기 쓰신대."

"그래도 보고 싶다고요."

나는 소리 내어 엉엉 울었다.

아빠가 어리둥절한 눈으로 나를 보시다 책상 위에 펼쳐 있
는 원고를 들춰 보셨다.

"언제 이렇게 많은 글을 쓰셨지?"

아빠도 손등으로 얼른 눈물을 닦으셨다.

"그러자, 가자! 전화하고 가야지."

"그냥 가면 안 돼?"

"그래도 전화 드려서 허락받아야지."

아빠가 전화를 거셨다.

아빠차 지붕에 그사이 벚꽃잎이 여러 장 떨어져 있었다.

우리는 꽃비를 맞으며 할머니가 계신 곳을 향해 출발했다.

어젯밤에는 혼자 손톱에 봉숭아 물을 들였습니다.

이른 아침 강아지 짱구와 산책을 하다 보니 성주산 입구에 봉숭아가 많이 피어 있었습니다. 어린 시절 봉숭아를 찧어 손톱에 올리고 콩잎으로 싸매 주던 엄마 생각이 났습니다. 빨간 꽃이 핀 꽃나무 밑동에서 시들어 가는 잎을 몇 개 골라 땄습니다. 그리고 조심스럽게 꽃잎도 몇 잎 땄습니다. 그것을 살짝 말려 백반과 식초를 넣고 칼등으로 찧었습니다. 손톱 위에 올리고 비닐로 씌웠습니다. 밤새 손가락이 옥신거렸습니다.

"분이야, 봉숭아 물 잘 들여졌나 봐라."

아침을 짓기 위해 오지 자배기에 보리쌀을 씻으며 나를 깨우는 엄마 목소리에 잠이 깼습니다.

엄마는 가을이면 여름내 아이들이 구멍을 낸 창호지문을 새로 발랐습니다. 국화잎도 부치고 손바닥만 한 유리 조각도 아이들 눈높이에 맞춰 붙였습니다. 유리 조각에 눈을 대고 밖을 내다보면 눈이 내리는 모습이 보이고 마실 오는 이웃 할머니 얼굴도 보였습니다. 참 신기했습니다.

사방으로 둘러싸인 산골 마을이 이 세상의 전부인 양 그 마을에서 동무들과 봄이면 산나물을 뜯고 학교 가는 길 시엉도 따먹고 삘

기도 뽑아 먹었습니다. 여름이면 냇가 웅덩이에 가서 발가벗고 헤 엄도 쳤습니다. 밤이면 멍석에 누워 쏟아질 것 같은 별을 보며 옥수 수며 감자를 먹고 옛날 이야기를 듣다가 할머니 무릎을 베고 잠이 들기도 했습니다.

꿈속 같은 고향 마을은 서해안 시대가 오면서 논밭은 수용되고 남은 땅에는 창고를 지어 임대를 하는 이상한 마을로 변했습니다.

아버지가 아침이면 풀을 베어 두엄을 만들고 미루나무 그늘에 소 를 매놓던 냇둑은 흔적도 없어지고, 개울물이 흐르던 냇가는 포장 도로가 되어 차가 다니는 길로 변했습니다.

세월이 흘러 어느덧 나도 손녀를 보았습니다.

이 글에는 나를 예뻐해 주신던 할머니도 계시고 자식들 위해 평 생 고된 일만 하신 부모님도 있습니다. 이 글을 쓰는 동안 많이 아팠 습니다. 때마다 원하지 않던 눈물이 나왔습니다. 차분하게 다듬어 야 했는데 울컥하는 마음이 먼저 올라와 그러질 못했습니다. 눈물 없이 이 글을 다듬을 수 있는 날은 언제 쯤일까요?

2017년 꽃피는 봄밤
문이령

젊은 자식들은 부모가 짐이 된다며 분가해 나가고 늙은 부모는 짐이 되기 때문에 '요양원'으로 내보내는 시대를 우리는 살고 있다. 『어머니 꽃구경 가요』는 8남매를 지극 정성으로 키웠지만 요양원에서 쓸쓸히 눈을 감는 어머니 이야기이다.

문이령 동화작가가 들려주는 늙은 어머니 이야기는 우리가 어떤 시대에 살고 있는 가를 숨기지 않고 보여 준다. 혀를 차고 가슴을 치면서도 8남매를 탓할 수가 없다. 우리도 그렇게 늙은 부모를 시설로 보내고 있기 때문이다. 여기가 지옥이라는 90 노모의 외침을 모르지 않지만 귀가 없는 것처럼 살고 있는 것이다.

늙어 거동조차 불편한 부모를 모실 마음의 여유가 없는 시대, 젊은이건 늙은이건 일을 찾아 헤매야 하는 시대에 늙은 부모는 혼자 쓸쓸히 세상을 떠날 준비를 하는 것이다.

지옥으로 떠나보내는 자식도 마음이 지옥이기는 마찬가지이다. 세상을 떠나기 전에 지옥살이부터 해야 하는 시대. 『어머니 꽃구경 가요』는 우리 모두의 이야기이다. ―송재찬(동화작가)

엄마가 보고 싶은 사람들은 이 글을 전부 다 읽을 필요는 없다. 한 구절만 읽어도 된다. '엄마는 그래도 되는 줄 알았습니다.' 사실 우리들의 어머니들께서는 일상의 크고 작은 상처들을 먹으며 그것이 속에서 독으로 쌓여 죽음에 이르는지도 모르며 살아 왔다. 그런 삶이 곧 우리들의 엄마다. 만약 당신이 엄마를 잃은 상처를 받았다면 이 책을 손에 든 것만으로도 큰 위로와 치유를 받을 것이다. 작가는 말한다. '엄마가 있는 곳이 집이었다. 이제 엄마를 대신해서 내가 그 집이어야 한다. 나는 엄마이니까.' 60의 엄마가 90의 엄마를 잃은 후, 생살을 찢는 듯 아픔을 담담하게 삭여 가는 모습이 쓸쓸하고 애련하다. 이제는 고통을 대신해 주지 않는 엄마라도 좋다. 내 곁에서 지켜봐 주기만 해도 좋은 엄마가 절실한 세상이다. 우리 인간은 굉장히 잘 깨지는 유리창 같은 존재들이다. 아픔과 슬픔을 함께 나누어지는 인간의 품위를 지켜야 할 때다. 오늘은 하늘나라에 계신 엄마가 땅으로 내려와 내 곁에 머무를 것만 같다. ─이창건(시인)